ÉCOLE NORMALE SUPÉRIEURE DE FONTENAY — SAINT-CLOUD

CRÉDIF

CENTRE DE RECHERCHE ET D'ÉTUDE POUR LA DIFFUSION DU FRANÇAIS

ARCHIPEL 1

UNITÉS 1 à 7

Janine COURTILLON
Sabine RAILLARD

avec la collaboration de Hélène GAUVENET et Marc ARGAUD,
dessins de Pierre NEVEU et Jean-Louis GOUSSÉ,
et le concours de la Mission Laïque Française.

cours credif

AVANT-PROPOS

ARCHIPEL est un cours de *français langue étrangère* conçu pour la classe.
Destiné à des adultes ou à des adolescents, il peut convenir aussi bien à des débutants qu'à des étudiants ayant déjà acquis un certain niveau en français.
Bien que n'ayant pas été conçu pour cet usage, ARCHIPEL peut être mis à profit par des étudiants souhaitant améliorer individuellement leurs connaissances, qu'ils utilisent ou non parallèlement une autre méthode. Quel que soit l'usage fait de ce cours, les étudiants auront de toute façon intérêt à pratiquer seuls certains exercices.
Chaque unité de ce livre présentant un matériel écrit et visuel volontairement abondant, tout ne pourra pas être étudié et observé en classe. C'est donc la curiosité et l'intérêt des étudiants, tant pour la langue que pour la culture française qui sont ici sollicités directement.

Le cours **ARCHIPEL** comprend :

ARCHIPEL 1 (unités 1 à 7)

- Un livre de l'étudiant
- Un cahier d'exercices
- Un livre du professeur
- 3 cassettes : dialogues, exercices, textes
- 2 films fixes (ou diapositives) pour la classe

ARCHIPEL 2 (unités 8 à 12)

- Un livre de l'étudiant
- Un cahier d'exercices
- Un livre du professeur
- 3 cassettes : dialogues, exercices, chansons, textes
- 2 films fixes (ou diapositives) pour la classe

ARCHIPEL 3

- Un livre de l'étudiant
- Un livre du professeur
- 3 cassettes : dialogues, textes littéraires, exercices prosodiques, interviews, table ronde

Maquette : J. Douin
Couverture : Creaphic

 ISBN 2-278-03455-3 Printed in France

CONTENU DU COURS ARCHIPEL 1

UNITÉS 1 à 7

AVERTISSEMENT

Cet ouvrage présente sept unités d'un ensemble qui en comporte douze. On n'y trouvera donc pas l'étude de l'action, c'est-à-dire du verbe et des relations temporelles et logiques. Dans cette première partie, on étudie principalement la caractérisation.

Objectifs de l'unité	Situations	Thématique	Activités orales et écrites	Documents
Qui êtes-vous ? OBJECTIFS FONCTIONNELS • Caractérisation de la personne. • Recherche d'une personne. • Entrée en contact avec une personne par téléphone ou dans un lieu public. OBJECTIFS LINGUISTIQUES • La phrase attributive en *être* suivie d'un adjectif ou d'un substantif. • La phrase en *avoir* et le présentateur *c'est* : *il a les yeux bleus, c'est la jeune fille du train.* • Une phrase interrogative marquée par l'intonation. • Quelques formes d'interrogation partielle : - *Qu'est-ce qu'il fait ?* - *A qui voulez-vous parler ?* - *Qui êtes-vous ?* - *Comment vous appelez-vous ?.* • La phrase négative. • Quelques verbes du premier groupe au présent.	1. Le postier. 2. Le chien perdu. 3. La jeune fille du train. 4. Le touriste grec. 5. A la réception. 6. L'enfant perdu. 7. La standardiste sourde. Secrets de jeunes filles.	• L'identité. • Portrait physique et moral, occupations (travail, loisirs) et goûts. • Lieux publics : poste, aéroport, rue.	• Exercices oraux. • Canevas de jeux de rôles. • Identifier des personnages sur des images, d'après un texte. • Lire une petite annonce de relations. • Trois jeux : - la devinette ; - le portrait ; - le départ en voyage. • Deux simulations : - l'agence matrimoniale ; - la recherche d'un emploi.	• Poèmes : *Nuit. L'oiseau.* • Carte de débarquement (voyage en avion). • Petites annonces de relations (*Le Nouvel Observateur*). • Les signes du Zodiaque (cartes illustrées). • Petites annonces de demandes et offres d'emploi (*Le Monde, Le Nouvel Observateur, Le Figaro*).

unité 2	**Que faites-vous ?** OBJECTIFS FONCTIONNELS • Décrire les habitudes et modes de vie : travail, habitation, déplacements et sorties... • Exprimer sommairement ses croyances et ses opinions. • Nier des faits OBJECTIFS LINGUISTIQUES • La phrase active simple à la forme affirmative : - sujet-verbe-objet ; - sujet-verbe-circonstanciel de lieu. • Quelques formes négatives. • La phrase interrogative : - sur l'objet de l'action : *Quoi, qu'est-ce que vous faites ?* - le lieu de l'action : *Où travaillez-vous ?* - le temps de l'action : *A quelle heure ?* - le moyen de déplacement : *Vous rentrez chez vous comment ?* - la quantité : *Combien gagnez-vous ?*. • L'expression de la fréquence : *jamais, toujours, souvent*. • Le présent d'habitude.	1. Le programmeur. 2. La photographe. 3. Le grutier. 4. Les loubards. 5. Le travailleur immigré.	• Professions. • Modes de vie : travail et salaires, déplacements, repas, loisirs. • Lieux de loisirs, lieux de travail. • Goûts et croyances. • Journaux et revues. • Catégories socio-professionnelles et clichés culturels.	• Exercices oraux. • Canevas de jeux de rôles. • Étude des portraits-clichés. • Questionnaire sur les moyens de transport. • Sondage sur le temps de vivre (travail et loisirs). • Une simulation : « Je pars avec vous ».	• Chanson de Jean Ferrat : *On ne voit pas le temps passer*. • Sondage : Les Français et le temps de vivre (*Le Figaro*). • Enquête : La France misogyne (*Le Nouvel Observateur*).
unité 3	**Où allez-vous ?** OBJECTIFS FONCTIONNELS • Localiser un objet. • Chercher un moyen de transport. • Prendre rendez-vous, refuser et déplacer le rendez-vous. • Inviter à sortir OBJECTIFS LINGUISTIQUES • Demander son chemin et donner des indications de direction (prépositions de lieu). • Présent, futur et impératif de quelques verbes.	1. Le coup de fil. 2. Je cherche la gare. 3. Où sont les billets d'avion ?. 4. Où dîne-t-on ce soir ? 5. Les cambrioleurs. 6. Les Puces. 7. La tour Eiffel.	• Restaurants. • Cinémas. • Théâtres. • Musique. • Détente.	• Exercices oraux. • Canevas de jeux de rôles. • Exercices à choix multiples. • Exercices pour savoir donner des indications de direction. • Questionnaire sur les lieux. • Une simulation : « Dans quelle île voulez-vous aller ». • Les bonnes adresses de Paris et de votre ville. • Un jeu : « Je prends rendez-vous par téléphone ».	• Poème : *Pardon, Monsieur*. • Annonces illustrées de restaurants, cinémas, théâtres, concerts (*Pariscope*. Publicités). • Publicité : le Club Vitatop. • Plan du quartier Saint-Germain - Odéon, à Paris (Affiche de la R.A.T.P.). • Emploi du temps de sept personnes (pages d'agenda).

	Objectifs de l'unité	Situations	Thématique	Activités orales et écrites	Documents
unité 4	**Que voulez-vous ?** OBJECTIFS FONCTIONNELS • Demander un objet, un horaire. • Interroger sur la taille, la qualité ou le prix ou demander un autre objet. • Faire une réclamation. • Accepter ou refuser un objet. OBJECTIFS LINGUISTIQUES • Liés à la demande : - *vous avez ...* - *vous n'avez pas ...* - *vous n'auriez pas ...* - *je voudrais ...* - *il y a ....* • Liés à la caractérisation de l'objet : adjectifs et compléments de nom, quelques possessifs et démonstratifs. • Liés à la caractérisation de la situation : discours indirect à l'aide des verbes : *demander, proposer, offrir, commander...* • Quelques doubles pronoms objets.	1. A l'entracte. 2. Le train de Saint-Malo. 3. Le steak de Janine. 4. Au vestiaire. 5. J'ai perdu mon ticket. 6. A la caisse. 7. J'ai mal à la gorge. 8. Le parfum.	• Achat d'un billet (train, avion). • Le choix d'un menu. • Achat d'un médicament, d'un vêtement, d'un parfum. • Les fêtes, les saisons, les mois, les jours. • La météorologie.	• Exercices oraux. • Canevas de jeux de rôles. • Exercices à choix multiples. • Questionnaire : « Les fêtes et les saisons ». • Préparer un voyage d'après un horaire. • Exercices : - sur les pronoms objets (simples et doubles) ; - sur les possessifs et les démonstratifs. • Sensibilisation aux registres de la demande.	• Calendrier 1983. • *Les Très Riches Heures du Duc de Berry* (illustrations - extraits). • Chanson de Charles Trenet : *J'ai ta main dans ma main.* • Menu gastronomique (*Lameloise*). • Menu d'Air-France. • Carte de restaurant français. • L'horaire du T.G.V. (document S.N.C.F.).
unité 5	**Combien en voulez-vous ?** OBJECTIFS FONCTIONNELS • La demande d'un objet portant la marque de la quantité. • Demander ou refuser un plat ou une boisson à table. OBJECTIFS LINGUISTIQUES. • Les quantifiants : *du, de la, des, un peu (de), quelques, un verre de, un kilo de ....* • La transformation négative : *pas de, plus de, pas beaucoup de ....* • La transformation pronominale : *« en »* avec les verbes *avoir, y avoir, vouloir, prendre.*	1. Un rôti, c'est parti !. 2. Des Gauloises, s'il-vous-plaît. 3. Un chat difficile. 4. Que fait-on l'an prochain ?. 5. Qu'y-a-t-il ce soir à la télévision ?. 6. Du super ou de l'ordinaire ?. Rime 1 : De l'amour, tous les jours. Rime 2 : Du pain, j'en veux bien. Rime 3 : Y a plus de printemps.	• Achats : au bureau de tabac, à la boucherie, à la station-service, au marché, etc. • La nourriture et la boisson. • Les matières d'enseignement. • Les programmes de télévision. • Regrets des objets disparus.	• Exercices oraux. • Canevas de jeux de rôles. • Exercices à choix multiples. • Exercices pour savoir exprimer la quantité (dialogues au restaurant, au café, chez l'épicier). • Deux jeux : - « Une année pour apprendre ». - « Un emploi du temps idéal ». • Construire une publicité à partir de modèles. • Distinguer une quantité nombrable et non-nombrable.	• Poème : *Du pain, du vin ...* • Chanson : *J'ai du bon tabac.* • Publicités : Vichy Saint-Yorre, le lait. • Programmes des trois chaînes de Télévision pour une semaine (*Télérama*).

Unité	Objectifs	Dialogues	Situations	Exercices	Documents
unité 6	**Comment sont-ils ?** OBJECTIFS FONCTIONNELS • Caractériser des objets d'après l'aspect physique, le fonctionnement, l'usage. OBJECTIFS LINGUISTIQUES • Liés à l'aspect physique : adjectifs et compléments de nom. • Liés au fonctionnement et à l'usage : - verbes pronominaux (voix moyenne) ; - les auxiliaires *pouvoir* et *servir à* ; - *c'est pour ...* • Caractérisation avec les prépositions *à* et *de* : - un couteau *à* pain ; - une salle *de* bains ; - une bouteille *de* vin ; - un sac *en* cuir.	1. L'auto-école. 2. Le cadeau de Noël. 3. On vide la malle. 4. L'art moderne. 5. Une déclaration de vol. 6. Vacances en Grèce.	• Déclaration de vol ou de perte. • Voitures, code de la route. • Visiter une exposition. • Appartements, hôtels. • Réservation d'un séjour touristique.	• Exercices oraux. • Canevas de jeux de rôles. • Exercices à choix multiples. • Apprendre à définir un usage. • Jeux : « Devinez de quel objet il s'agit » ? • Questionnaire : « Objets et cadeaux ». • Pour améliorer la qualité de la vie. • Exercices : Caractériser avec les relatifs, les démonstratifs et les prépositions *à* et *de*. • Apprendre à interpréter un message publicitaire.	• Le Code de la Route (extraits). • Tarifs de location de voitures (*Hertz*). • Programme du centre Beaubourg, à Paris. • Œuvres de Matisse : *La blouse roumaine, La chapelle de Vence.* • Texte sur Matisse de Noël Émile-Laurent. • Tableau de Renoir : *L'Excursionniste* (détail). • Poèmes : *Nuit de Juin, Femme-Objet, Musique.* • Publicités pour des voitures et des hôtels. • Petites annonces de vente et location d'appartements (*De particulier à particulier*). • Publicité pour le vin du Beaujolais. • Trois tableaux de Chardin : *La Mère Laborieuse, Le Buffet, La Pourvoyeuse.* • Texte de Alain Robbe-Grillet : *Instantanés* (extrait).
unité 7	**Qui choisir et que choisir ?** OBJECTIFS FONCTIONNELS • Apprécier et comparer des qualités et des quantités (avantages et inconvénients). OBJECTIFS LINGUISTIQUES • La comparaison : les comparatifs et les superlatifs. • Exprimer son point de vue : - verbes *aimer, trouver, adorer, détester, raffoler de, s'intéresser à...* - la phrase segmentée (*Le jazz, ça me plaît beaucoup*).	1. Publicité n° 1 : *Robot lave plus blanc.* Publicité n° 2 : *S.I.B. la cuisine la plus fonctionnelle.* 2. L'aspirateur. 3. Projets d'avenir. 4. J'ai changé de voiture. 5. Le chasseur de têtes. 6. Laquelle est la plus belle ?	• Description et comparaison de : - produits publicitaires ; - moyens de transport et pays ; - acteurs célèbres ; - professions ; - activités culturelles ; - salaires, niveaux de vie et loisirs de quelques pays européens.	• Exercices oraux. • Canevas de jeux de rôles. • Exercices à choix multiples. • Deux questionnaires : - « Qui admirez-vous le plus ? » ; - « Comment apprenez-vous ? ». • Exercices : - comparer des quantités et des qualités ; - comparer les qualités de l'objet proposé et de l'objet recherché ; - apprenez à décrire un objet en le comparant ; - exercice de comparaison sur les chiffres d'une enquête ; - étude de textes : Charles Baudelaire, Club Méditerranée et Jean Giraudoux.	• Photos de vedettes de cinéma. • Poème : *Quel est pour vous le plus bel âge ?.* • Enquête : niveaux de vie, scolarisation et les loisirs de quelques pays européens (*Le Matin*). • Poème de Charles Baudelaire : *L'invitation au voyage.* • Texte de Jean Giraudoux : *La Folle de Chaillot.* (extrait).

TABLE DES MATIÈRES

UNITÉ 1. QUI ÊTES-VOUS ?

AMBIANCE 13

SITUATIONS 14

A LIRE ET A DÉCOUVRIR 19

La rue 19
La poste, la gare, l'aéroport 20
L'identité 21

PRATIQUE DE LA LANGUE 22

Identifier des personnages 22
Parler d'une personne (Annonces relations) 23

UN PEU DE GRAMMAIRE 24
Mon, ma, son, sa.
Être, avoir, travailler (conjugaison).
On = nous
La forme négative.
Au, à la, à l'.

UN PEU DE STYLISTIQUE 25
Poèmes : *Nuit ; L'oiseau.*
Les couleurs.

POUR ALLER PLUS LOIN 26

Les signes du zodiaque 26
Secrets de jeunes filles 28
Recherche d'un emploi (petites annonces) 30

TEXTES 31

Canevas de jeux de rôles 31
Textes des dialogues 32
Situation 1 : Le postier 32
Situation 2 : Le chien perdu 32
Situation 3 : La jeune fille du train 33
Situation 4 : Le touriste grec 33
Situation 5 : A la réception 33
Situation 6 : L'enfant perdu 33
Situation 7 : La standardiste sourde 34
Secrets de jeunes filles 34

UNITÉ 2. QUE FAITES-VOUS ?

AMBIANCE 35

SITUATIONS 36

A LIRE ET A DÉCOUVRIR 38

Croire ; suivre ; aimer .....

PRATIQUE DE LA LANGUE 39

Répondre à un questionnaire 39

UN PEU DE GRAMMAIRE 41
Faire *du* ski, *de la* danse.
Croire, faire, suivre, aimer, acheter, passer (conjugaison).
S'appeler, S'occuper de (conjugaison).
S'intéresser *à*, penser *à*, penser *de*.

UN PEU DE STYLISTIQUE 41
Chanson : *On ne voit pas le temps passer* (Jean Ferrat).

POUR ALLER PLUS LOIN 42

Portraits : Mme Léonard ; M. de la Roche ; M. Henriquez ; M. Granger 42
M. Doucet ; Mme le Héron ; M. Hervé ; M. Dalo 44
Questionnaire sur les moyens de transport 46
Sondages : Les Français et le temps de vivre 47
La France misogyne 49
Le bonheur des citoyens 50

TEXTES .....

Canevas de jeux de rôles 51
Activité de production libre 52
Textes des dialogues 53
L'enquête. Situation 1 : Le programmeur 53
Situation 2 : Le photographe 53
Situation 3 : Le grutier 53
Situation 4 : L'enfant 54
Situation 5 : Les loubards 54
Situation 6 : Le travailleur immigré 54

UNITÉ 3. OÙ ALLEZ-VOUS ?

AMBIANCE 55

SITUATIONS 56

A LIRE ET A DÉCOUVRIR 58

Avant et maintenant 58
Des bâtiments à différentes époques 58
Dans le métro ; au commissariat 59

PRATIQUE DE LA LANGUE .....

Demander son chemin 60
Situer un lieu 60
Chercher un moyen de transport 61
Quelques verbes utiles pour indiquer une direction 61

UN PEU DE GRAMMAIRE 62
Comparer : la jeune fille *du* train, un billet *d'*avion.
L'accord de l'adjectif possessif : *son, sa, ses*.
Les adjectifs possessifs.
Quelques impératifs et formules utilisés au téléphone.

UN PEU DE STYLISTIQUE 63
Petit poème.

POUR ALLER PLUS LOIN 64
Vous cherchez un restaurant 64
Vous voulez aller au spectacle 67
Cinéma ; théâtre ; musique 67
Vous cherchez une détente physique 70
Demander, donner ou refuser un rendez-vous 71
L'emploi du temps de huit personnes (agenda) 72
TEXTES 75
Canevas de jeux de rôles 75
Activités de production libre 75
Exercices à choix multiples 76
Textes des dialogues 77
Situation 1 : Le coup de fil 77
Situation 2 : Je cherche la gare 77
Situation 3 : Où sont les billets d'avion 77
Situation 4 : Où est-ce qu'on dîne ce soir ? 77
Situation 5 : Les cambrioleurs 78
Situation 6 : Les Puces 78
Situation 7 : La Tour Eiffel 78

UNITÉ 4. QUE VOULEZ-VOUS ?

AMBIANCE 79
SITUATIONS 80
A LIRE ET A DÉCOUVRIR 82
Evénements 82
Monsieur Lacan a disparu. Le rendez-vous. La météo
Les jours et les fêtes (calendrier 1983) 83
Les saisons 84
PRATIQUE DE LA LANGUE 86
Savoir utiliser les possessifs et les démonstratifs 86
Apprendre à faire une demande 87
Apprendre à analyser les situations 88
UN PEU DE GRAMMAIRE 90
Pronoms personnels (pour faire une demande, donner un ordre, faire une promesse ou une proposition).
Les adjectifs et les pronoms démonstratifs.
UN PEU DE STYLISTIQUE 91
Chanson : *J'ai ta main dans ma main* (Charles Trenet).
POUR ALLER PLUS LOIN 92
Apprendre à choisir son menu 92
Apprendre à choisir son train (horaires du T.G.V.) 94
TEXTES 95
Canevas de jeux de rôles 95
Activités de production libre 96
Exercices à choix multiples 96
Textes des dialogues 97
Situation 1 : A l'entracte 97
Situation 2 : Le train de Saint-Malo 97
Situation 3 : Le steack de Janine 98
Situation 4 : Au vestiaire 98
Situation 5 : J'ai perdu mon ticket 98
Situation 6 : Les mocassins 99
Situation 7 : A la caisse 99
Situation 8 : J'ai mal à la gorge 99
Situation 9 : Le parfum 99

UNITÉ 5. COMBIEN EN VOULEZ-VOUS?

AMBIANCE ... 101

SITUATIONS ... 102

A LIRE ET A DÉCOUVRIR ... 104

En voulez-vous encore? ... 104

PRATIQUE DE LA LANGUE ... 105

Apprendre à exprimer la quantité ... 105

UN PEU DE GRAMMAIRE ... 107
Beaucoup de, un peu de, pas de, etc.
Le pronom *en* (avec l'impératif et l'indicatif).
Quelques impératifs négatifs avec *en.*

UN PEU DE STYLISTIQUE ... 108
Un petit poème.
Chanson: *J'ai du bon tabac.*

POUR ALLER PLUS LOIN ... 109

Construire un texte publicitaire ... 109
Programmes de télévision ... 110

TEXTES ... 111

Canevas de jeux de rôles ... 111
Activités de production libre ... 112
Exercices à choix multiples ... 112
Textes des dialogues ... 113
Situation 1: Un rôti, c'est parti! ... 113
Situation 2: Des gauloises, s'il vous plaît! ... 113
Situation 3: Un chat difficile ... 113
Situation 4: Qu'est-ce qu'on fait l'an prochain ... 113
Situation 5: Qu'est-ce qu'il y a ce soir à la télévision ... 114
Situation 6: Du super ou de l'ordinaire? ... 114
Rime 1: De l'amour, tous les jours ... 115
Rime 2: Du pain, j'en veux bien ... 115
Rime 3: Y a plus de printemps ... 115

UNITÉ 6. COMMENT SONT-ILS?

AMBIANCE ... 117

SITUATIONS ... 118

A LIRE ET A DÉCOUVRIR ... 121

Le voyage (Club Méditerranée) ... 121
Un peintre: Matisse ... 122

PRATIQUE DE LA LANGUE ... 123

Apprendre à caractériser ... 123
Avec les pronoms relatifs et démonstratifs ... 123
Avec les prépositions *à* et *de* ... 124
Apprendre à définir un usage ... 125
Deviner un objet (jeu) ... 125

UN PEU DE GRAMMAIRE ... 126
L'infinitif après *à.*
Le sens de prépositions.

UN PEU DE STYLISTIQUE ... 126
Petits poèmes: *Nuit de juin, Femme-objet, Musique.*

POUR ALLER PLUS LOIN 128
Interpréter un message publicitaire 128
Choisir un lieu pour vivre (annonces Ventes/locations) 131
Visiter une exposition : Chardin 133
Voyager dans un texte : (Alain Robbe-Grillet, extrait de *Instantanés*) 134
TEXTES 135
Canevas de jeux de rôles 135
Activités de production libre 136
Exercices à choix multiples 137
Textes des dialogues 138
Situation 1 : L'auto-école 138
Situation 2 : Le cadeau de Noël 138
Situation 3 : On vide la malle 138
Situation 4 : L'art moderne 138
Situation 5 : Une déclaration de vol 139
Situation 6 : Vacances en Grèce 139

UNITÉ 7: QUI CHOISIR ET QUE CHOISIR?

AMBIANCE 140
SITUATIONS 142
A LIRE ET A DÉCOUVRIR 143
Quel est votre type de femme ?... d'homme ? 143
Quelle est la meilleure profession ? 144
Quel est le plus bel âge ? 145
PRATIQUE DE LA LANGUE 146
Apprendre à parler d'une personne : décrire, apprécier 146
Exprimer ses goûts (sur des choses ou des activités) 148
Que choisir ? Comparer des quantités et des qualités 149
UN PEU DE GRAMMAIRE 151
Les pronoms : *lui, leur, l', ça.*
Les comparatifs : *mieux, meilleur, pire.*
Quelques futurs.
UN PEU DE STYLISTIQUE 151
Phrases publicitaires.
POUR ALLER PLUS LOIN 152
Comparer les niveaux de vie (enquête sur l'Europe) 152
Faire parler les chiffres (tableau sur les voitures) 155
L'invitation au voyage : Poème de Baudelaire, publicité Club Méditerranée 156
Choisir un moyen de transport 157
Portrait d'Irma Lambert (Jean Giraudoux, *La Folle de Chaillot*) 158
TEXTES 159
Canevas de jeux de rôles 159
Activités de production libre 160
Exercices à choix multiples 160
Textes des dialogues 161
Situation 1 : Publicité n° 1, ROBOT 161
Publicité n° 2, S.I.B 161
Situation 2 : L'aspirateur 161
Situation 3 : Projets d'avenir 162
Situation 4 : J'ai changé de voiture 162
Situation 5 : Le chasseur de têtes 162
Situation 6 : Laquelle est la plus belle ? 162

EXERCICES INTONATIFS 165

EXERCICES AUTO-CORRECTIFS 169

Exercices fonctionnels 169
Corrigés des exercices fonctionnels 181
Exercices syntaxiques 187
Corrigés des exercices syntaxiques 190
Index des exercices auto-correctifs 191

unité
1

Qui êtes-vous?

ambiance

situations

POSTES ET TELECOMMUNICATIONS
PARIS
— Il est « sympa » !
— C'est mon voisin.
EMPRUNT EPARGNE
— Il travaille à la poste.

— Pardon monsieur, vous n'avez pas vu mon chien ?

— Il est comment votre chien ?

— Demandez à la dame là-bas.

— Pardon Madame, je cherche un chien noir.

Un train de banlieue.

— « T'as vu » la blonde, là-bas, près de la fenêtre ?

— Vous voulez une cigarette ?
— Non merci, je ne fume pas !

« T'as de beaux yeux, tu sais... »

Michèle Morgan et Jean Gabin, dans *Quai des Brumes*, un film de Marcel Carné.

— Vous avez du feu s'il vous plaît ?
— Avec plaisir !...

Anna Karina dans *Alphaville*, un film de Jean-Luc Godard.

— Vous parlez grec ?
— Non, je suis Française.

— Une cigarette ?
— Non merci, je ne fume pas.

— Un whisky ?
— Oui, je veux bien.

Elle est Française
Elle ne parle pas grec
Elle ne fume pas
Mais elle aime le whisky.

— Je voudrais parler à Philippe?
— Philippe comment? Il s'appelle comment?

— Allô, est-ce que je pourrais parler à monsieur Barreau?
— Allô qui demandez-vous?
— Monsieur Barreau!

— Pourquoi tu pleures?
— J'ai perdu ma maman!

— Allô, Gérard, c'est toi?
— Oui, qui est à l'appareil?

Gérard Depardieu et Fanny Ardant dans *La femme d'à côté*, un film de François Truffaut.

à lire et à découvrir

La place de l'Opéra (Paris).

Le square Gaston Baty (Paris).

A la poste.

La gare de Lyon (Paris)

Roissy (aéroport Charles De Gaulle).

Orly.

L'IDENTITÉ

Elle avait trois ans

— Quand j'étais petite,
j'avais des boucles blondes.

Elle avait dix ans

— A dix ans,
j'avais une queue de cheval.

CARTE DE DÉBARQUEMENT
DISEMBARKATION CARD.

ne concerne pas les voyageurs de nationalité française
not required for nationals of France

1* **NOM :** ....
NAME (en caractère d'imprimerie — please print)

Nom de jeune fille : ....
Maiden name

* **Prénoms :** ....
Given names

2 **Date de naissance :** ....
Date of birth **(quantième) (mois) (année) (day) (month) (year)**

3 **Lieu de naissance :** ....
Place of birth

4 **Nationalité :** ....
Nationality

5 **Profession :** ....
Occupation

6 **Domicile :** ....
Permanent address

....

7 **Aéroport d'embarquement :** ....
Airport of embarkation

Elle avait dix-huit ans

— A dix-huit ans,
j'étais toute frisée.

Elle avait vingt-cinq ans

— A vingt-cinq ans,
j'avais une frange.

Et maintenant,
quel âge a-t-elle ?

— Et maintenant,
j'ai un chignon
et je suis toute blanche.

pratique de la langue

IDENTIFIER LES PERSONNAGES SUIVANTS

1. Elle porte une robe blanche
   et des chaussures noires.
   Elle a deux sacs à main.
   Elle a l'air fatigué.
2. C'est un monsieur âgé,
   il a un parapluie et la Légion d'honneur,
   il porte un costume noir.
3. Il a une casquette et une petite valise.
   Il fume
   et il n'est pas très jeune.
4. C'est une petite fille.
   Elle est blonde.
   Ses cheveux sont raides.
5. Elle est brune, frisée,
   elle a le nez long
   et des lunettes sur le bout du nez.
   Elle a les mains dans les poches.
6. Il est grand.
   Il a une drôle de tête,
   un costume noir
   et les mains derrière le dos.
7. Il est étudiant.
   Il a les cheveux courts.
   Il porte un pull et un jean.
8. Elle est grande,
   blonde,
   elle a une main sur la hanche.
   Elle porte une tunique
   et un pantalon blancs.
9. C'est une jeune fille,
   elle est brune,
   elle a les cheveux longs et raides.
   Elle porte des chaussures à talons
   et elle a un panier à la main.
10. C'est le petit garçon
    qui a les mains dans les poches.
    Il a l'air malin.
    C'est un petit parisien.
11. C'est une dame âgée.
    Elle tient un petit chien dans ses bras.
    Elle a un chapeau,
    un sac et des gants noirs.

CHOISISSEZ UNE DES ANNONCES ET DÉCRIVEZ LA PERSONNE QUI A ÉCRIT L'ANNONCE

Par exemple :

ANNONCE NUMÉRO 1

1.
J'ai 27 a., suis cheminot, beau garçon, je m'appelle Hugues et je désire renc. une J. F. gentille, jolie, d'origine bretonne de préf. pr. sorties, relations. Agences s'abst.

Il a vingt-trois ans.
Il est cheminot.
Il est beau garçon.
Il s'appelle Hugues
et *il désire (veut)* rencontrer une jeune fille, gentille, jolie...

ANNONCE NUMÉRO 2

2.
J.H., cad., aimant sports, danse, 27 a., ch. J. F. sportive, jolie, non fumeuse, 25-28 a.

C'est un jeune cadre
qui aime les sports et la danse.
Il a 27 ans.
Il cherche une jeune fille de 25-28 ans, jolie, sportive et non fumeuse (qui ne fume pas).

ou : *C'est* un jeune cadre *de* 27 ans qui aime les sports... etc.

Annonces parues dans Le Nouvel Observateur. Rubrique Annonces classées.

HOMMES

1.
J'ai 27 a., suis cheminot, beau garçon, je m'appelle Hugues et je désire renc. une J. F. gentille, jolie, d'origine bretonne de préf. pr. sorties, relations. Agences s'abst.

2.
J.H., cad., aimant sports, danse, 27 a., ch. J. F. sportive, jolie, non fumeuse, 25-28 a.

3.
Comptable 23 ans, mince, grand blond, sentimental, sérieux, épouserait jolie blonde, femme d'intérieur romantique et catholique.

4.
Pilote 34 ans, divorcé, simple, affectueux, ch. Vietnamienne 23-33 ans, douce, charme, mariage possible.

5.
J.H. 32 a., intellectuel, gai, sportif, rêveur, non conformiste, ch. J. F. ... mince, tendre, sincère, ...ation durable.

6.
27 ans, médecin, sens humour, tendre, romantique, désire rencontrer jeune femme 22-25 ans, intelligente, jolie, gaie, esprit ouvert pour sorties, soirées, week-end, vie à deux, vie familiale mais sans pantoufles, sans Guy Lux, sans tiercé, pour vie vraie et vraie vie.

7.
Divorcé, 40 ans, las solitude, aimant vie saine ch. J. F. 18-35 a., belle, tendre et sensible.

FEMMES

8.
J. F. 28, enseignante, jolie, drôle, désire relation sérieuse et amour fou, homme grand 35-40, universitaire.

9.
J. F. 30 ans, prof., voyages, aimant la vie, cherche H. sain et passionné max. 45 ans pour relation humaine. Tél. souhaité.

10.
56 ans, veuve sans enfant, gde, mince, attrayante, gaie, moderne, aimant belles et bonnes choses de la vie. Situation indépendante, souhaite rencontrer H. libre, affinités. Tél.

11.
Seule, 43 a., ronde, tendre et gaie. fonct. Cherche pour elle et son vieux chien bon maître 30-40 a., grand, aimant amour, lecture, musique, campagne.

12.
40 ans, divorcée, blonde, belle, bien faite, spontanée, passionnée arts, musique, ciné, théâtre cuisine, sports, voudrait partager amour véritable avec homme ni gros ni laid, chaleureux, charme et humour indispensables, idéal commun.

13.
Jolie jeune femme douce et exigeante cherche homme très haut niveau : fort, équilibré, tendre, intelligence brillante, humour. Tu as de 35 à 45 ans et cherches La partenaire. Comme moi tu es capable d'engagement vrai et généreux.

14.
Vve 3e âge, revenu confort. désire rencontrer H. affectueux situation aisée, voiture, Paris, vie harmonieuse.

LES ANNONCES RELATIONS PARAISSANT TOUTES LES SEMAINES. LES RÉPONSES NE SERONT PLUS ACHEMINÉES PASSÉ UN DÉLAI DE 14 JOURS.

POUR RÉPONDRE AUX ANNONCES

UN PEU DE GRAMMAIRE

SOUVENEZ-VOUS :

Qui est-ce ? — C'est [mon] voisin, [il] est employé.

Qui est-ce ? — C'est [ma] voisine, [elle] est employée.

Qui est-ce ? — C'est [son] voisin, [il] est étudiant.

Qui est-ce ? — C'est [sa] voisine, [elle] est étudiante.

CONJUGUEZ :

ÊTRE	*AVOIR*	*TRAVAILLER*
Vous êtes...	Vous avez...	Vous travaillez...
Tu es...	Tu as...	Tu travailles...
Je suis...	J'ai...	Je travaille...
Nous sommes...	Nous avons...	Nous travaillons...
Il (elle) est...	Il (elle) a...	Il (elle) travaille...
Ils (elles) sont...	Ils (elles) ont...	Ils (elles) travaillent...
C'est...		

NOTEZ :

[On = Nous]

On est étudiants. *On* a le temps. *On* ne travaille pas.

Vous habitez — j'habite. Vous connaissez — je connais.
Vous attendez — j'attends. Vous parlez — je parle.

CONJUGUEZ A LA FORME NÉGATIVE :

*On n'*est *pas* étudiants. *On n'a pas* le temps. *On* travaille beaucoup.

Je *n'*habite *pas* à Paris, j'habite en province.
Je *ne* parle *pas* anglais, je parle espagnol.
Je *ne* connais *pas* l'Italie, je connais le Portugal.
Je *ne* connais *pas* François, je connais sa femme.
Je *ne* sais *pas* l'arabe, je sais l'allemand.

ATTENTION :

[*Le*] *bureau* est masculin : Je vais [au] bureau.
[*La*] *poste* est féminin : Vous allez [à la] poste.
[*La*] *jeune fille* est féminin : Ils parlent [à la] jeune fille. Ils [lui] parlent.
[*Le*] *facteur* est masculin : Elle parle [au] facteur. Elle [lui] parle.
[*L'*]*employé* est masculin : Il parle [à] l'employée . Il [lui] parle.
[*L'*]*employée* est féminin : Elles parlent [à] l'employée . Elles [lui] parlent.

UN PEU DE STYLISTIQUE

Voici deux poèmes[1] :

Nuit

Blanche la lune
Blanche la fleur
Blanche ta main
Sur toi se penchent
Les branches nues
De la nuit bleue.

L'oiseau

Un grand oiseau
Aux ailes bleues
Au bec noir
Picore
Des miettes
Bleues et noires.

Vous choisissez un des poèmes et, en utilisant les mêmes structures syntaxiques, vous faites un poème en changeant le point de départ :
par exemple :
pour le poème *Nuit*, vous pouvez partir de :
la mer, la pluie, la liberté.
pour le poème *L'oiseau : une jolie blonde, un petit enfant, un vieux monsieur.*

Voici les principales couleurs :

masculin		*féminin*
Blanc	☐	blanche
Noir	☐	noire
Vert	☐	verte
Rouge	☐	rouge
Jaune	☐	jaune
Orange	☐	orange
Bleu	☐	bleue
Gris	☐	grise
Violet	☐	violette
Rose	☐	rose
Beige	☐	beige
Marron	☐	marron
Brun	☐	brune

Mettez les couleurs dans les rectangles.

1. Les poèmes non signés d'ARCHIPEL ont été écrits par Hélène GAUVENET et Marc ARGAUD.

pour aller plus loin

LES SIGNES DU ZODIAQUE

24.10~21.11
Animé d'une
extraordinaire énergie.
Tenace. Persévérant. Il
est secret. Tourmenté.
Impulsif. Rebelle.
Révolté. Entier,
passionné, parfois
jaloux. Individualiste.
Aime la difficulté.
Sexuel. Possessif.
Chance: 1.4.9.11.27.39
24.9~23.10
Aimable. Douée.
Conciliante. Sensible.
Indécise. Sociable. A
horreur de vivre seule.
De compagnie agréable.
Soucieuse de plaire.
Aime les compliments.
Amoureuse et
sensuelle.
Chance: 1.7.10.
12.16.43.
BALANCE
21.3~20.4
Impulsif. Forte
personnalité. Chanceux.
Spontané. Impatient.
Coléreux. A horreur des
détails. Passionné. Enjoué.
Indiscipliné. Sûr de lui.
Amoureux à l'extrême.
Chance: 3.12.15.
33.36.41.
23.7~23.8
Dynamique. Très
actif. Impulsif. Sens
du commandement. En
amour, il est très dévoué,
fidèle et romantique. Fier.
Autoritaire. Opiniâtre.
Ambitieux. A horreur
des flatteries. Aime
la perfection, la clarté,
la franchise. Passionné.
hanceux. Sensuel.
ance: 4.7.16.20
36.
LION
21.1~19.2
Sens de l'amitié.
Excentrique. Original
ou révolté. Aime
la nouveauté. Actif.
Indépendant. Très
doux. Accueillant.
De compagnie
agréable. Très
sensible. Intuitif.
Chance: 4.22.
27.33.40.46.
VERSEAU
20.2~20.3
Impressionnable.
Sensible. Mystérieux.
A beaucoup de charme.
Intelligent. Très intuitif.
Sentimental. Vulnérable.
Ne se confie pas. Très doux.
Insaisissable. Il aime
tous les arts. Sensuel.
Peu gourmand.
Chance: 2.9.
28.31.37.44.
POISSONS

SECRETS DE JEUNES FILLES

— J'ai quelque chose
à te dire... Devine!

— Tu te maries?
Avec qui?

— Christian? Je le connais?
Il est comment?

— Il est blond?

— Ah, je vois, c'est l'étudiant en médecine.

— Ben, je sais pas, moi...
T'as gagné au loto ?

— Avec Christian !

— Il est super !
Il est très beau.

— Oui, avec les cheveux frisés.

— Oui, c'est ça !

RECHERCHE D'UN EMPLOI

OFFRES D'EMPLOI

PROFESSEUR DE LANGUES
si vous souhaitez encadrer un séjour linguistique en Grande-Bretagne et en Allemagne pendant les vacances de Pâques ou d'été

CHERCHE J.F. au pair pour garder enfants à domicile, nourrie, logée, bonne rémun.

Centre de réinsertion sociale souhaite compléter ses équipes d'appartements. Recherche des **éducateurs(trices) spécialisées(es) motivés par la prise en charge (pédagogique et thérapeutique(d'adultes.**

Sté recherche pour son siège social de NEUILLY

EMPLOYÉ-E DE BANQUE

jeune, dynamique, avec de solides connaissances du commerce des devises et des métaux précieux. Pratique de l'allemand indispensable.

DATA CARD FRANCE
M° GAMBETTA
recherche

STANDARDISTE-RECEPTIONNISTE

bilingue anglais, à mi-temps l'APRES-MIDI. Bonne présentation. Dactylo indispensable.

Cherche personne très sérieuse pour s'occuper d'un enfant 4 ans dans 5e 4 j./sem. après 17 h.

IMPORTANTE SOCIETE D'EXPERTISE COMPTABLE PARIS-17e, recherche pour l'une de ses sections.

SECRETAIRE TRES BONNE STENODACTYLO

3 à 4 ans d'expérience, libre rapidement.
Le poste à pourvoir nécessite :
— Qualités de discrétion et de présentation,
— rapidité d'exécution pour la réalisation de rapports importants de caractère financier.

Avantages sociaux, rémunération intéressante.

Ecole privée à Paris ch. mi-temps

PROFESSEURS DE FRANÇAIS
expérimenté en audiovisuel.

Pour PARIS et région et départements 45, 60, 77

HOTESSES VENTE, VENDEURS

produits valorisants et connus, vente par expositions, horaires souples, gains importants, formation assurée, voiture souhaitée.

CHEF DES VENTES

28 ans environ, dynamique, format. supérieure appréciée, expér. dans services et encadrement force de vente. 3 à 4 technico-commerciaux.

Poste intéressant pour élément sérieux. Activité : Paris et banlieue. Salaire + % + déplacements.

Recherchons INFIRMIERS (IERES) DIPLOMES (EES)

Annonces classées : le *Nouvel Observateur* et *Le Figaro*

DEMANDES D'EMPLOI

J.F. références ch. poste **vendeuse en librairie** dispon. de suite.

Chef de chantier, bâtiment 1er échelon ch. poste à l'étranger.

MEDECIN 33 ans exerçant méd. du travail depuis 3 ans cherche poste méd. du travail ou méd. de soins à l'étranger.

J.H. 26 ans parlant couramment **CHINOIS, ANGLAIS,** not. jap., all., admissible concours aff. étr. vécu 3 ans Extrême-Orient, ch. situation. Et. ttes propos.

Secrétaire de direction, 33 ans, ch. emploi ds secteur **Presse Edition.**

J. Fme dynamique, cherche emploi stable, mi-temps, secrétaire sténodactylo, anglais lu et écrit, sténo anglaise prox. St-Lazare ou Sannois

---

JF 26 ans, études sup., sc. po et droit, très bon style écrit, excell. prés., goût voyages, contacts humains, ch. situat. Etud. ttes propos.

Fme française, sérieuse, bonne présentation, cherche heures repassage, travail soigné quartier Etoile.

CUISINIER-PATISSIER cherche pl. stable ou extra France ou étranger. Libre.

REALISE TOUS TRAVAUX DACTYLO FRANÇAIS-ANGL TRANSCRIPTIONS MAGNETO TRAITEMENT DE TEXTE

textes

CANEVAS DE JEUX DE RÔLES

CANEVAS 1

A et B marchent ensemble dans la rue et rencontrent C.

— A salue et C répond au salut.
— B demande à A qui est C.
— A répond.
— B demande quel travail il fait.
— A répond.
— B fait un commentaire.
— A répond au commentaire.

On peut suggérer les rôles suivants pour A, B et C : deux lycéens, un employé des P.T.T., un professeur d'histoire, une vedette célèbre, un étudiant étranger, une secrétaire, etc.

CANEVAS 2

En utilisant comme cadre la rue, une personne voit un chien perdu.

Monologue : la personne parle au chien :
— Elle lui demande pourquoi il pleure, comment il s'appelle et où il habite.
— Elle le caresse et voit son nom. Elle va téléphoner à son maître.

Dialogue au téléphone :
La personne qui a trouvé le chien téléphone et demande la personne dont le nom est sur le collier du chien.
— Le propriétaire répond.
— La personne dit qu'elle a trouvé un chien.
— Le propriétaire demande comment est le chien.
— La personne répond.
— Le propriétaire fait un commentaire.

CANEVAS 3

En prenant comme cadre l'avion, le train ou l'autobus, une personne veut parler à ses voisins.

— Elle entre en contact.
— Le (la) voisin(e) répond à la personne. (Réponse positive ou négative).
— La personne demande où il (elle) va. / Où il (elle) habite / Quelle est sa profession.
— Réponse du (de la) voisin(e)... etc.

TEXTES DES DIALOGUES

SITUATION 1
LE POSTIER

Dans la rue

Jeune femme 1 : Bonjour !
Jeune homme : « Salut ! »[1]
Jeune femme 2 : Qui est-ce ? Tu le connais ?
Jeune femme 1 : Oui, c'est Jacques Durand, c'est mon voisin, il travaille à la poste.
Jeune femme 2 : Il est « sympa » ?
Jeune femme 1 : Oui, il est très « sympa ».
Jeune femme 2 : Qu'est-ce qu'il fait ? Il est facteur ?
Jeune femme 1 : Non, non, il est dans les bureaux. Il est employé. Il s'occupe des mandats.
Jeune femme 2 : Ah, bon !

1. Les mots ou expressions entre guillemets sont d'un registre familier et parlé.

SITUATION 2
LE CHIEN PERDU

Dans la rue

Le jeune homme : Pardon Monsieur, vous n'avez pas vu mon chien ?
Le monsieur : Votre chien, il est comment ? Noir ?
Le jeune homme : Oui, il est noir, avec un collier rouge.
Le monsieur : Il est grand ?
Le jeune homme : Non, comme ça, à peu près.
Le monsieur : Moi, j'ai vu un chien noir, mais il est tout petit. Demandez à la dame là-bas.
Le jeune homme : S'il vous plaît, Madame, je cherche un chien noir. Il a un collier rouge. Vous l'avez vu ?
La dame : Non, non, je ne l'ai pas vu.
Le jeune homme : Merci beaucoup.

SITUATION 3
LA JEUNE FILLE DU TRAIN

Dans un train de banlieue.

Jeune homme 1 : « T'as vu » la blonde, là, près de la fenêtre ?
Jeune homme 2 : « Ouais », elle est « chouette » !
Jeune homme 1 : On lui parle ?
Jeune homme 2 : Attends, qu'est-ce qu'elle fait ? Elle est mannequin ?
Jeune homme 1 : Non, elle est actrice !
Jeune homme 2 : Et elle habite en banlieue ?
Jeune homme 1 : « Ben » oui, et elle travaille à Paris.
Jeune homme 2 : On va voir !

Jeune homme 1 : Bonjour Mademoiselle. Vous avez de beaux yeux, vous savez !
Jeune fille : Qu'est-ce que vous voulez ?
Jeune homme 1 : Parler avec vous, vous êtes « sympa » !
Jeune homme 2 : Vous voulez une cigarette ?
Jeune fille : Non merci, je travaille, laissez-moi.
Jeune homme 1 : Oh, « vous êtes pas » « sympa ! »

Jeune homme 1 : Eh, regarde, c'est la jeune fille du train. C'est un « prof » !
Jeune homme 2 : Elle est « prof » !

SITUATION 4
LE TOURISTE GREC

Dans un avion.

Le monsieur : Pardon, vous... parlez grec ?
La jeune fille : Non, je suis française.
Le monsieur : Paris ?
La jeune fille : Oui, j'habite à Paris. Et vous, vous êtes grec ?
Le monsieur : « Oui, grec, moi, ... pas parler français. Mon français no good, petit peu, pas bien ».
La jeune fille : Vous habitez Athènes ?
Le monsieur : Non, Thessaloniki.

Le monsieur : Cigarette ?
La jeune fille : Non merci, je ne fume pas.
Le monsieur : Whisky ?
La jeune fille : Oui, avec plaisir.
Le monsieur à l'hôtesse : Ena whisky, parakalo[1].

1. Un whisky, s'il vous plaît, en grec.

SITUATION 5.
A LA RÉCEPTION

Dans un hôtel.

L'employé : Mademoiselle ?
La jeune fille : Je voudrais voir un jeune homme, il s'appelle Philippe.
L'employé : Philippe comment ?
La jeune fille : Excusez-moi, je ne connais pas son nom de famille.
L'employé : Il est anglais ?
La jeune fille : Non, il est norvégien, il est arrivé hier.
L'employé : C'est Philippe Holder ?
La jeune fille : Ah oui, c'est ça.
L'employé : Euh, attendez, Monsieur Markos, Arnaud, Holder. C'est la chambre 24. Vous voulez lui parler ?
La jeune fille : Oui, s'il vous plaît.

L'employé : Monsieur Holder, on vous demande à la réception.

Il arrive, vous voulez vous asseoir ?
La jeune fille : Merci.

SITUATION 6
L'ENFANT PERDU

Dans un grand magasin

Le monsieur : Qu'est-ce que tu as ? Pourquoi tu pleures ?
L'enfant : J'ai perdu ma maman.
Le monsieur : Ta maman ? Tu as perdu ta maman ?
L'enfant : Oui, « je sais pas » où elle est.
Le monsieur : Comment tu t'appelles ?
L'enfant : Sabine.
Le monsieur : Sabine comment ?
L'enfant : Dupuis.
Le monsieur : Et tu habites où ?
L'enfant : « A rue Lhomond ».[1]
Le monsieur : A quel numéro ?
L'enfant : Au numéro 5.
Le monsieur : Bon, viens avec moi, on va appeler ta maman.

Micro : Votre attention, s'il vous plaît. La petite Sabine Dupuis, la petite Sabine Dupuis attend sa maman au bureau des renseignements, situé à l'entrée du magasin, porte 4. Merci.

1. Cette formulation est incorrecte. C'est l'enfant qui a produit cette phrase.

SITUATION 7.
LA STANDARDISTE SOURDE

Un standard de téléphone

La standardiste : Allô, j'écoute.
L'homme : Monsieur Barreau, s'il vous plaît ?
La standardiste : Allô, qui demandez-vous ?
L'homme : Monsieur Barreau, allô, allô, ne coupez pas !
La standardiste : Quoi, Monsieur qui ?
L'homme : Monsieur Barreau.
La standardiste : Quel numéro demandez-vous ?
L'homme : 32.03.10.12.
La standardiste : C'est bien ici, mais à qui voulez-vous parler ?
L'homme : A Monsieur Barreau avec un B comme Bach. C'est un technicien en informatique.
La standardiste : Ah oui, ne quittez pas, je vous le passe.
L'homme : Ah, enfin !

SECRETS DE JEUNES FILLES

Dans un bureau

Jeune fille 1 : J'ai quelque chose à te dire. Devine ?
Jeune fille 2 : « Ben », je ne sais pas moi, euh... « t'as gagné » au loto ?
Jeune fille 1 : Non.
Jeune fille 2 : Tu te maries ?
Jeune fille 1 : Oui.
Jeune fille 2 : « Sans blague » ?
Jeune fille 1 : Eh bien oui, je me marie !
Jeune fille 2 : Avec qui ?
Jeune fille 1 : Avec Christian.
Jeune fille 2 : Christian, je le connais ? Il est comment ?
Jeune fille 1 : Il est « super ».
Jeune fille 2 : Il porte des lunettes « marrantes », toutes rondes ?
Jeune fille 1 : Non, « c'est pas » lui.
Jeune fille 2 : Il a une moustache ?
Jeune fille 1 : Non.
Jeune fille 2 : Il est grand, sportif ?
Jeune fille 1 : Oui, il est très, très bien.
Jeune fille 2 : Il est blond ?
Jeune fille 1 : Oui, avec les cheveux frisés.
Jeune fille 2 : Et il est très bavard ?
Jeune fille 1 : Oui c'est ça !
Jeune fille 2 : Ah, je vois qui c'est, c'est l'étudiant en médecine !

Que faites-vous?

ambiance

situations

LE PROGRAMMEUR

Il travaille en banlieue,
à la Défense.

LA PHOTOGRAPHE

Elle déjeune chez Lipp.

LE GRUTIER

Il travaille dans le bâtiment.
Il gagne 5 000 francs par mois.

L'ENFANT

Il fait du patin à roulettes à Montparnasse.

LES « LOUBARDS »

Ils vont à La Bastille le vendredi soir.

LE TRAVAILLEUR IMMIGRÉ

Il est O.S. chez Renault,
il est payé au S.M.I.C.

à lire et à découvrir

CROIRE

Elle croit à la science.

Croyez-vous à l'astrologie ?
Moi, je n'y crois pas.

SUIVRE

Qu'est-ce qu'ils suivent ?
Ils suivent le Chef

Et vous, qu'est-ce que vous suivez :
la mode, l'actualité,
un cours de danse... ?

AIMER

Ils aiment le sport.

Et vous, qu'est-ce que vous aimez :
la politique, les arts, les hommes ?

pratique de la langue

RÉPONDEZ AUX QUESTIONS

« OÙ HABITEZ-VOUS ? »

J'habite Paris.
à Paris.
une petite ville.
dans une petite ville.
dans la région parisienne.
dans le Midi.
dans le Nord.
en banlieue.
en ville.
en Bretagne (la Bretagne).
en France (la France).
au Portugal (le Portugal).
aux Etats-Unis (les Etats-Unis).

« OÙ TRAVAILLEZ-VOUS ? »

Je travaille à Paris.
à la Défense.
chez Renault.
dans un bureau.
dans le bâtiment.

« QUAND SORTEZ-VOUS ? » « ET QUAND RENTREZ-VOUS ? »

Je sors le matin, tôt.
Je rentre le soir, tard.
l'après-midi.
à midi, à minuit.
à huit heures du soir.
vers cinq heures du matin.
de l'après-midi.

« SORTEZ-VOUS SOUVENT ? » (BEAUCOUP) ?

Je sors souvent (beaucoup).
quelquefois (un peu).
(très peu).
tous les soirs (chaque soir).
Je ne sors pas souvent.
(pas beaucoup).
Je ne sors jamais.

« COMBIEN DE FOIS PAR SEMAINE ALLEZ-VOUS AU CINÉMA ? »

J'y vais tous les soirs.
trois fois par semaine.
plusieurs fois par semaine.

« COMMENT RENTREZ-VOUS CHEZ VOUS ? »

Je rentre à pied.
en métro (le métro).
en train (le train).
en autobus (l'autobus).
en taxi (le taxi).
en voiture (la voiture).

FAITES UN QUESTIONNAIRE EN CHOISISSANT UN AUTRE THÈME, PAR EXEMPLE : LES VACANCES, LE WEEK-END...

UN PEU DE GRAMMAIRE

SOUVENEZ-VOUS :

Vous faites du tennis et du yoga ? Il fait de la natation et de la moto.

Tu fais du cheval et du judo ? Elle fait de la danse et de la bicyclette.

Moi, je fais du ski et du foot-ball ? Ils font de la gymnastique et de la marche à pied.

CONJUGUEZ :

CROIRE	vous croyez tu crois je crois	il (elle) croit ils (elles) croient	*ALLER*	vous allez tu vas je vais	il (elle) va ils (elles) vont
FAIRE	vous faites tu fais je fais	il (elle) fait ils (elles) font	*ACHETER*	vous achetez tu achètes j'achète	il (elle) achète ils (elles) achètent
SUIVRE	vous suivez tu suis je suis	il (elle) suit ils (elles) suivent	*PASSER*	vous passez tu passes je passe	il (elle) passe ils (elles) passent

Aimer, voyager, donner, lutter, militer, pratiquer, accepter, jouer, gagner, se conjuguent comme *passer.*

APPRENEZ :

La conjugaison des verbes pronominaux *s'appeler* et *s'occuper de...*

Vous *vous* appelez... — Il (elle) *s'* appelle...
Tu *t'* appelles... — Ils (elles) *s'* appellent...
Je *m'* appelle...

Vous *vous* occupez de quoi ? — Il (elle) *s'*occupe d'enfants.
Tu *t'*occupes de quoi ? — Ils (elles) *s'*occupent de photographie.
Je *m'*occupe de pédagogie

Est-ce que vous *vous* intéressez au sport ?
Je *m'* intéresse à l'histoire.
Il *s'* intéresse à la politique.

ATTENTION

« On *se* tutoie ou on *se* vouvoie ? »

Dans cette phrase, le pronom *se* désigne les deux personnes qui se parlent.

REMARQUEZ :

Les verbes *penser de* et *penser à* ont un sens différent.
— Qu'est-ce que tu penses du professeur ?
— Je pense qu'il est sympathique.

— A quoi (ou à qui) pensez-vous ?
— Je pense à mes vacances (à ma copine).

ON NE VOIT PAS LE TEMPS PASSER

Paroles et Musique de Jean FERRAT

Générique du film de René ALLIO
La vieille dame indigne

On se marie tôt à vingt ans
Et l'on n'attend pas des années
Pour faire trois ou quatre enfants
Qui vous occupent vos journées
Entre les courses la vaisselle
Entre ménage et déjeuner
Le monde peut battre de l'aile
On n'a pas le temps d'y penser

Faut-il pleurer faut-il en rire
Fait-elle envie ou bien pitié
Je n'ai pas le cœur à le dire
On ne voit pas le temps passer

Une odeur de café qui fume
Et voilà tout son univers
Les enfants jouent le mari fume
Les jours s'écoulent à l'envers

A peine voit-on ses enfants naître
Qu'il faut déjà les embrasser
Et l'on n'étend plus aux fenêtres
Qu'une jeunesse à repasser

Faut-il pleurer faut-il en rire
Fait-elle envie ou bien pitié
Je n'ai pas le cœur à le dire
On ne voit pas le temps passer

Elle n'a vu dans les dimanches
Qu'un costume frais repassé
Quelques fleurs ou bien quelques branches
Décorant la salle à manger
Quand toute une vie se résume
En millions de pas dérisoires
Prise comme marteau et enclume
Entre une table et une armoire

Faut-il pleurer faut-il en rire
Fait-elle envie ou bien pitié
Je n'ai pas le cœur à le dire
On ne voit pas le temps passer

La vieille dame indigne, un film de René Allio.

EXERCICE
En prenant comme modèle ce texte de Jean Ferrat, décrivez une journée de la vie d'une personne de votre choix.

pour aller plus loin

PORTRAITS

MADAME LÉONARD

Madame Léonard enseigne la sociologie
à l'Université de Montpellier.
Elle vote P.S.[1] et elle est syndiquée.
Elle croit à la démocratie.
Elle passe ses vacances en Lozère
où elle fait de la poterie.
Elle lit « Le Monde » et « Le Nouvel Observateur ».
Elle prépare un doctorat d'Etat.
Elle va souvent au ciné-club avec son mari.
Ils sont écologistes et font du sport tous les dimanches.

1. Parti Socialiste

MONSIEUR DE LA ROCHE

Le Baron de la Roche est P.-D.G.
d'une entreprise multinationale.
C'est un catholique non pratiquant.
Il est député giscardien.
Il lit « Valeurs actuelles » et « l'Expansion ».
Le Baron de la Roche
passe une partie de ses vacances
dans son château en Dordogne.
Il voyage beaucoup dans les pays chauds.
Le dimanche, il fait du « jogging » au Bois,
à côté de chez lui.
Collectionner des tableaux
est son passe-temps
favori.

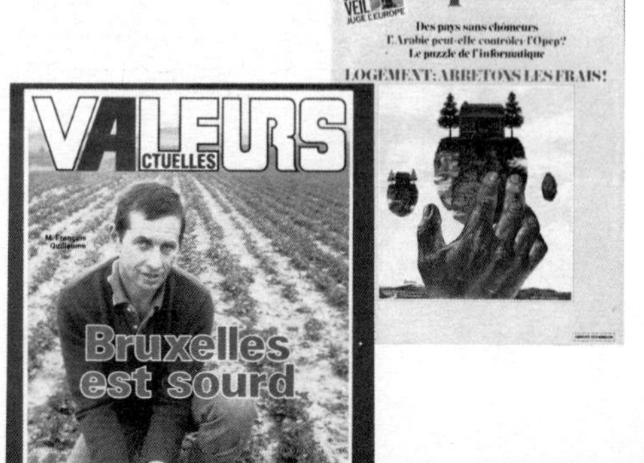

MONSIEUR HENRIQUEZ

Monsieur Henriquez
est ouvrier agricole
et travaille chez un viticulteur
du Midi de la France.
Il est catholique
et croit au progrès social.
Il n'a pas le droit de voter en France.
Monsieur Henriquez passe ses vacances
chez ses parents au Portugal.
Pendant ses loisirs,
il donne des cours de portugais
aux enfants de ses concitoyens
nés en France.
Deux fois par semaine,
il suit un cours de promotion sociale.
Il lit le « Midi Libre » et « Télérama ».

MONSIEUR GRANGER

Monsieur Granger habite à Dieppe.
Il est ingénieur
dans une société de forage de pétrole.
Il ne croit pas beaucoup à la démocratie ;
il ne vote pas.
Il est abonné au « Point ».
Il est fasciné par les innovations techniques
et ne résiste pas au plaisir d'acheter
le dernier gadget à la mode.
Monsieur Granger passe ses vacances
à bricoler dans sa maison de campagne.
De temps en temps,
il fait du ski au Club Méditerranée
avec sa famille.
Il aime beaucoup les restaurants
gastronomiques.

MONSIEUR DOUCET

Monsieur Doucet est boucher à Lyon.
Son père a été résistant
et lui, a une grande admiration pour De Gaulle.
Il vote R.P.R. (Rassemblement pour la République).
Le samedi il achète « Paris-Match »
et le matin il lit « le Figaro ».
Il est pour l'artisanat
et le petit commerce,
et contre les grandes surfaces.
Il possède une résidence secondaire en Bresse
où il fait du jardinage.
C'est là qu'il passe ses vacances
et ses week-ends.
Il joue et gagne quelquefois au tiercé.

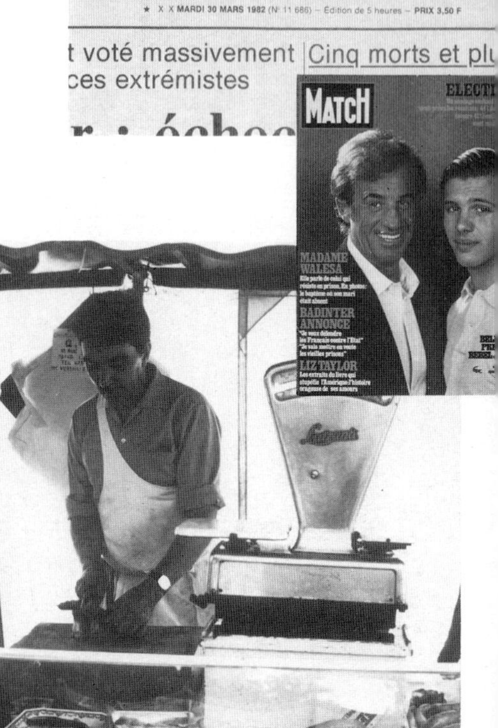

MADAME LE HÉRON

Madame Le Héron,
qui habite Aubervilliers,
est ouvrière à la chaîne, chez Singer.
Inscrite au P.C. (Parti Communiste),
elle est conseillère municipale.
Elle croit à l'union de la gauche
et à la promotion sociale de la femme.
Elle a lu toute l'œuvre de Zola.
Son mari a installé une caravane
sur un petit terrain
qu'ils ont acheté en Bretagne.
C'est là qu'ils passent leurs vacances.

SALVADOR:TRACTATIONS APRES LES ELECT

MARDI 30 MARS 1982 • Nlle SÉRIE • N° 272

Libération

Bombe dans le «Capitole»

ATTENTAT 5 MORTS

Une explosion a eu lieu hier à 21 heures dans le train de 1e classe Paris-Toulouse. Les enquêteurs envisagent un attentat ou un transport clandestin d'explosifs. Cette explosion coïncide avec la fin de l'ultimatum de Carlos au gouvernement français pour que celui-ci libère deux de ses amis

Lire page 32

JOURNAL
DE LA MAISON DE LA CULTURE 81.82
CHALON SUR SAONE
FEVRIER 1982 . N°41 . 1F. issn 0181.5539

MONSIEUR HERVÉ

Monsieur Hervé est professeur de philosophie
dans un lycée de province.
Il est de gauche
et croit à l'action sociale.
Il a été très influencé par Mai 68.
Il lit « Libération ».
Une fois par semaine,
il anime le Ciné-Club
de la Maison de la Culture.
Très mélomane,
il a une passion pour la musique baroque.

MONSIEUR DALO

Monsieur Dalo est un peintre connu.
Il a été surréaliste.
Il pense maintenant
que la politique ne traduit pas
les aspirations profondes des hommes.
Il croit à la beauté sous toutes ses formes.
Pour lui, la vie est un théâtre.
L'été, il restaure une église romane
avec Léonor, jeune starlette de 24 ans,
qu'il a rencontrée au Festival de Cannes
et dont il est tombé amoureux.

QUI EST-CE ?

Identifiez les personnages des portraits d'après les phrases suivantes :

- Il croit à la beauté et à l'amour.
- Il croit à l'action sociale.
- Il croit en Dieu.
- Elle est inscrite au Parti Communiste.
- Elle est syndiquée.
- Ils sont de gauche.
- Il est de droite.
- Il est pour l'artisanat.
- Il est amoureux.
- Il lit « Libération ».
- Elle lit « Le Monde ».
- Ils donnent des cours.
- Il suit des cours.
- Il n'a pas le droit de vote.
- Ils ne voyagent pas beaucoup.
- Il voyage souvent.
- Il fait du ski et du bricolage.
- Ils font du sport.
- Il est mélomane.
- Il passe ses vacances en Dordogne.
- Ils passent l'été en Bretagne.
- Il passe ses loisirs à enseigner le portugais.

QUESTIONNAIRE SUR LES MOYENS DE TRANSPORT

Voici un modèle de questionnaire qui pourrait être utilisé par la R.A.T.P. (Régie Autonome des Transports Parisiens : métro, autobus, R.E.R.[1]) pour améliorer les transports :

— Quelle est votre profession ?
— Où habitez-vous ?
— Où travaillez-vous ?
— A quelle heure commencez-vous votre travail ?
— A quelle heure finissez-vous votre travail ?
— Pour rentrer chez vous, est-ce que vous utilisez :
  — le métro ;
  — l'autobus ;
  — la voiture ;
  — un taxi ;
  — le train de banlieue.
  — Est-ce que vous allez à pied à votre travail ?
— Combien de temps mettez-vous par jour pour aller travailler ?
— Est-ce que vous prenez un moyen de transport pour aller déjeuner ?
— Est-ce que vous sortez le soir ? Combien de fois par semaine ?
— Pour sortir le soir, quel moyen de transport utilisez-vous ?

1. Réseau Express Régional.

Etudiez ce questionnaire et répondez en consultant les listes suivantes de verbes :

vous habitez	j'habite	tu habites
vous travaillez	je travaille	tu travailles
vous finissez	je finis	tu finis
vous rentrez	je rentre	tu rentres
vous utilisez	j'utilise	tu utilises
vous mettez	je mets	tu mets
vous prenez	je prends	tu prends
vous sortez	je sors	tu sors

ET VOUS, QUE PENSEZ-VOUS ?

— Croyez-vous à l'amour et à la liberté ?
— Êtes-vous pour ou contre la peine de mort ?
— A quoi passez-vous vos vacances et vos week-ends ?
— Où passez-vous vos vacances ?
— Quel est votre passe-temps favori ?
— Quels sports pratiquez-vous ?
— Quels cours suivez-vous ?

Acceptez-vous de répondre à ces questions :

— Êtes-vous inscrit à un parti politique ?
— Êtes-vous syndiqué ?
— Combien gagnez-vous ?

SONDAGES

QUELQUES REMARQUES EXTRAITES DU COMMENTAIRE DE JEAN BARRAUD A PROPOS DU SONDAGE « LES FRANÇAIS ET LE TEMPS DE VIVRE ».

Les Français estiment en majorité qu'ils ont du temps. Ils accordent plus d'importance à leur vie privée qu'à leur réussite professionnelle. Ils préfèrent l'imprévu aux loisirs programmés. Ils veulent la multiplication des petits congés et une réduction de la journée de travail plutôt qu'un allongement des grandes vacances. Ils sont pour la retraite progressive.
Des différences apparaissent au niveau des *âges*, des *sexes* et des *catégories socio-professionnelles :*

Différences selon les âges :

- Plus l'individu avance sur le chemin de la vie, plus il considère le temps comme un bien précieux.
- Les jeunes (moins de 35 ans) attachent plus d'importance à la vie privée que les personnes plus âgées.

Différences selon les sexes :

- Les hommes ont plus de temps libre que les femmes :
  37 % des hommes et seulement 21 % des femmes ont plus de quatre heures libres par jour.
- Les femmes attachent plus d'importance à la vie privée que les hommes : 63 % contre 48 %.
- Les femmes sont plus intéressées que les hommes par le travail à temps partiel et les horaires à la carte.

Différences selon les catégories socio-professionnelles :

- Les personnes qui ont le moins de temps libre sont les artisans, les petits commerçants et les agriculteurs : 35 % ont moins d'une heure par jour.
- Les employés du secteur public acceptent plus facilement les loisirs programmés que les employés du secteur privé.

1. LES FRANÇAIS ET LE TEMPS DE VIVRE

1 Il y a des gens dont on dit qu'ils ont du temps et d'autres, au contraire, qu'ils n'ont jamais le temps. Vous-même, dans quelle catégorie vous rangeriez-vous ?

	Pourcentage
La catégorie des gens qui ont du temps	66
– La catégorie des gens qui n'ont jamais le temps	32
– Ne sait pas	2
	100

2 On entend souvent dire que le temps, c'est de l'arge Pensez-vous que l'on peut gérer son temps comme s budget ?

	Pourcentage
– OUI	44
– NON	51
– Ne sait pas	5
	100

3 D'une manière générale, de combien de temps libre disposez-vous chaque jour de la semaine, à l'exception du samedi et du dimanche ?

	Pourcentage
– Moins d'une heure	17
– De 1 à 2 heures	24
– De 2 à 3 heures	17
– De 3 à 4 heures	9
– Plus de 4 heures	28
– Ne sait pas	5
	100

4 Lorsque vous avez une journée libre, préférez-vous (ce soit...

	Pourcentage
... une journée où tout est bien organisé	39
... une journée où rien n'est prévu	55
– Sans opinion	6
	100

5 Avec laquelle des deux opinions suivantes êtes-vous le plus d'accord ?

	Pourcentage
– Réussir dans la vie professionnelle, c'est vraiment important même si, pour cela, il faut consacrer moins de temps à sa vie privée	31
– Réussir sa vie privée, c'est vraiment important même si, pour cela, il faut consacrer moins de temps à sa vie professionnelle	56
– Sans opinion	13
	100

6 En ce qui concerne l'aménagement du temps : pens vous que le plus urgent soit de revoir...

	Pourcentage
... l'aménagement du temps de travail ?	56
... l'aménagement du temps des loisirs, avec l'étalement des vacances par exemple ?	31
– Sans opinion	13
	100

7 Pour améliorer la qualité de la vie, dans l'avenir, doit-on plutôt s'orienter vers...

	Pourcentage
... une réduction de la journée de travail ?	32
... un allongement du temps des grandes vacances ?	13
... une multiplication des petites vacances de quatre à cinq jours ?	40
– Sans opinion	15
	100

8 En ce qui concerne l'aménagement du temps de trav différentes formules ont été envisagées. Pour chacu de celles que je vais citer, voulez-vous me dire si vous y ê favorable ou opposé ?

	Favorable	Opposé	Sans opinion
Le travail à temps partiel = 100 %	66	24	10
Les horaires à la carte = 100 %	61	25	14
Le réaménagement de la semaine de 40 heures (en quatre jours au lieu de cinq, par exemple) = 100 %	52	34	14
La retraite progressive ou la retraite à la carte = 100 %	69	13	18
La possibilité tous les sept ans de prendre un an de congé à demi-salaire =100 %	46	36	18

Enquête parue dans *Le Figaro* du 18 décembre 1978.

2. LA FRANCE MISOGYNE

Enquête publiée dans *Le Nouvel Observateur* n° 904 (Mars 1982).

1 *58 % des Français : oui, les femmes ont raison de se plaindre.*

• Des femmes et des hommes militent en faveur des droits de la femme. Diriez-vous qu'en France il s'agit d'un combat :

	FEMMES %	HOMMES %	ENSEMBLE %
JUSTIFIÉ	66	57	62
INJUSTIFIÉ	11	14	12
DÉPASSÉ	14	20	17
NE SAIT PAS	9	9	9
	100	100	100

• Dans la société française actuelle, estimez-vous que les femmes ont encore des raisons de se plaindre ?

	FEMMES %	HOMMES %	ENSEMBLE %
OUI	62	53	58
NON	34	39	36
NE SAIT PAS	4	8	6
	100	100	100

2 *Avoir une femme comme patron : inacceptable pour un homme sur vingt.*

• Estimeriez-vous normal, anormal ou inacceptable d'avoir une femme pour supérieur hiérarchique dans votre travail ?

	FEMMES %	HOMMES %	ENSEMBLE %
NORMAL	86	82	84
ANORMAL	7	9	8
INACCEPTABLE	2	5	3
NE SAIT PAS	5	4	5
	100	100	100

3 *Réussir ses études : c'est aussi important pour les filles.*

• Faire de bonnes études, est-ce plus important pour un garçon que pour une fille, moins important ou également important ?

	FEMMES %	HOMMES %	ENSEMBLE %
PLUS IMPORTANT	15	18	16
MOINS IMPORTANT	1	3	2
EGALEMENT IMPORTANT	83	78	81
NE SAIT PAS	1	1	1
	100	100	100

4 *D'accord pour les avocates, mais pas de « plombières » !*

• Je vais vous citer un certain nombre de métiers ou de fonctions ; pour chacun d'eux, voulez-vous me dire si, selon vous, il convient plus particulièrement à un homme, à une femme ou indifféremment :

FEMMES	A un homme %	A une femme %	Indifféremment %	Ne sait pas %	Total
MÉDECIN	14	1	84	1	100
DÉPUTÉ	36	1	62	1	100
INSPECTEUR DE POLICE	57	0	42	1	100
PRÉSIDENT DE LA RÉPUBLIQUE	57	1	41	1	100
AVOCAT	8	2	88	2	100
CHEF D'ENTREPRISE	30	1	67	2	100
PLOMBIER	68	0	31	1	100
SECRÉTAIRE	1	34	64	1	100

HOMMES	A un homme %	A une femme %	Indifféremment %	Ne sait pas %	Total
MÉDECIN	12	1	87	0	100
DÉPUTÉ	32	2	65	1	100
INSPECTEUR DE POLICE	55	1	43	1	100
PRÉSIDENT DE LA RÉPUBLIQUE	54	2	42	2	100
AVOCAT	7	4	88	1	100
CHEF D'ENTREPRISE	28	1	70	1	100
PLOMBIER	74	1	24	1	100
SECRÉTAIRE	1	44	54	1	100

5 *Bricolage : entrée strictement interdite aux femmes.*

• Je vais vous citer différentes tâches auxquelles un couple doit faire face. Pour chacune d'elles, dites-moi si, pour vous, elles incombent plutôt à l'homme, plutôt à la femme ou indifféremment :

FEMMES	Plutôt à un homme %	Plutôt à une femme %	Indifféremment %	Ne sait pas %	Total %
LA CUISINE	1	41	57	1	100
LA VAISSELLE	1	31	67	1	100
LE BRICOLAGE	52	0	47	1	100
LE MÉNAGE	1	49	49	1	100
S'OCCUPER DES ENFANTS	0	27	72	1	100
HOMMES					
LA CUISINE	2	54	43	1	100
LA VAISSELLE	1	40	58	1	100
LE BRICOLAGE	69	1	29	1	100
LE MÉNAGE	2	55	42	1	100
S'OCCUPER DES ENFANTS	1	35	63	1	100

6 *Marie Curie l'emporte sur Brigitte Bardot et Simone de Beauvoir.*

• Parmi les femmes célèbres que voici, quelle est celle dont le sort vous paraît le plus enviable :

	FEMMES %	HOMMES %	ENSEMBLE %
BRIGITTE BARDOT	17	22	19
SIMONE DE BEAUVOIR	8	7	8
MARIE CURIE	37	31	34
YVONNE DE GAULLE	9	8	9
SIMONE VEIL	11	14	12
NE SAIT PAS	18	18	18
	100	100	100

ENQUÊTE SUR LE BONHEUR DES CITOYENS

FICHE DE SONDAGE

SITUATION SOCIALE

1. Sexe :
2. Profession :
3. Avez-vous entre 16 et 25 ans :
   plus de 25 ans :
4. Situation de famille : célibataire, marié, divorcé, veuf, enfants à charge.
5. Avez-vous une résidence secondaire :
   Si oui, où :
6. Avez-vous une voiture :
   Si oui, quel modèle :

IDÉOLOGIE

7. Êtes-vous inscrit à un parti politique :
   Si oui, lequel :
8. Avez-vous des responsabilités politiques et sociales :
   Si oui, lesquelles :
9. Croyez-vous à la démocratie :
   Croyez-vous à la science :
   Croyez-vous au bonheur :
10. Est-ce que vous avez l'impression que la société évolue vers le progrès :
11. Parmi les différentes théories, doctrines, religions, quelle est celle qui vous impressionne le plus :
12. Quel est l'homme que vous admirez le plus :
13. Quel journal lisez-vous :

LE TEMPS DE VIVRE

14. Où passez-vous vos vacances :
15. Qu'est-ce que vous faites le dimanche :
16. Pratiquez-vous un sport :
    Si oui, lequel :
17. Quel est votre passe-temps favori :
18. Êtes-vous d'accord avec cette maxime : « Le temps c'est de l'argent »
19. Combien de temps libre avez-vous chaque jour :
20. Qu'est-ce qui est le plus important :
    - réussir sa vie privée
    - réussir sa vie professionnelle
21. La qualité de la vie, dans l'avenir, c'est :
    - travailler plus dans la journée (et seulement quatre jours par semaine)
      ou
    - prendre sa retraite à 55 ans

Pour vous aider à faire votre sondage, voici la grille utilisée habituellement par les instituts de sondage.

GRILLE DE SONDAGE

SEXE

— Homme ....
— Femme ....

AGE

— à 24 ans ....
— 25 à 34 ans ....
— 35 à 49 ans ....
— 50 à 64 ans ....
— 65 ans et plus ....

CATÉGORIE SOCIO-PROFESSIONNELLE DU CHEF DE FAMILLE

— Agriculteur, salarié agricole ....
— Petit commerçant, artisan ....
— Cadre supérieur, profession libérale, commerçant, industriel ....
— Cadre moyen, employé ....
— Ouvrier ....
— Inactif, retraité ....

PRÉFÉRENCE PARTISANE

— Parti communiste ....
— Parti socialiste ....
— U.D.F ....
— R.P.R ....
— Ne se prononcent pas ....

textes

CANEVAS DE JEUX DE RÔLES

CANEVAS 1

On prend comme cadre le restaurant et quatre personnages. Deux personnes sont assises à une table et entrent en contact avec deux autres personnes assises à une table voisine.

— Entrée en contact par une personne de la table 1 avec une personne de la table 2.
— Réponse.
— Vérification de la nationalité.
— Interrogation sur la ville d'origine.
— Réponse.
— Interrogation sur la profession et le sport pratiqué.
— Réponse.

CANEVAS 2

On prend comme cadre la sortie d'une école de langues, trois étudiants étrangers parlent entre eux.

— A demande à B et C combien d'heures de cours de français ils ont par semaine.
— Réponse de B.
— Réponse de C.
— A demande à quelle heure sont les cours.
— Réponse de B.
— Réponse de C.
— B demande à A combien d'heures de cours il a par semaine.
— Réponse de A.
— B demande à C comment est le professeur.
— Réponse de C.
— C demande à A et B où ils déjeunent.
— Réponse de A (négative ou positive).
— Réponse de B (négative ou positive).

CANEVAS 3

On prend comme cadre une cafeteria. Trois ou quatre employés parlent de leurs loisirs.

— A demande à B et C ce qu'ils font le soir.
— Réponse de B.
— Réponse de C.
— Surprise de A à la réponse de B.
— A dit ce qu'il fait.
— C dit qu'il pratique un sport.
— B dit quel sport il pratique.
— A dit qu'il regarde les sports. Il ne les pratique pas.
— Commentaires de B et de C.

ACTIVITÉ DE PRODUCTION LIBRE

QUESTIONNAIRE

Nom :

Sexe :

Âge :

Profession :
(ou occupation)

Intérêts divers[1] :
(Goûts, habitudes et qualités)

Convictions politiques ou religieuses :

Niveau d'éducation :

Signe astrologique :

Préférence pour un type de personne[2] :

1. Exemples : aime les voyages, la mer, le sport, la musique, etc., fumeur, non-fumeur, bricoleur, pianiste, etc.
2. Quelle sorte de caractère aimez-vous ou recherchez-vous chez les autres ?

TEXTES DES DIALOGUES

L'ENQUÊTE

Dans la rue.

SITUATION 1.
LE PROGRAMMEUR

L'enquêteur: Pardon, Monsieur, je peux vous poser quelques questions ?
Le programmeur: Oui, si vous voulez.
L'enquêteur: Où est-ce que vous travaillez ?
Le programmeur: Je travaille en banlieue, à la Défense[1].
L'enquêteur: Quelle est votre profession ?
Le programmeur: Je suis programmeur.
L'enquêteur: Vous déjeunez où ?
Le programmeur: Je déjeune dans un bistro, près du bureau.
L'enquêteur: Vous finissez à quelle heure ?
Le programmeur: A six heures.
L'enquêteur: Vous rentrez chez vous comment ?
Le programmeur: En train.
L'enquêteur: Le soir, vous sortez souvent ?
Le programmeur: Oui, souvent ; je vais au cinéma ou au théâtre.
L'enquêteur: Vous pratiquez un sport ?
Le programmeur: Oui, je fais du ski.
L'enquêteur: Maintenant, vous répondez si vous voulez. Combien gagnez-vous ?
Le programmeur: Je ne réponds pas.
L'enquêteur: Merci beaucoup.

SITUATION 2
LA PHOTOGRAPHE

L'enquêteur: Pardon, Madame, je peux vous poser quelques questions ?
La photographe: Oui, allez-y.
L'enquêteur: Où travaillez-vous ?
La photographe: Je travaille chez un couturier, Courrèges.
L'enquêteur: Quelle est votre profession ?
La photographe: Je suis photographe de mode.
L'enquêteur: Où est-ce que vous déjeunez ?
La photographe: Chez Lipp[2] en général, et vous ?
L'enquêteur: Moi, heu... eh bien, je ne déjeune jamais, mais je dîne.
Et vous finissez à quelle heure ?
La photographe: « J'ai pas » d'heure, neuf heures, dix heures.
L'enquêteur: Vous rentrez en voiture ?
La photographe: Eh bien non, je déteste la voiture. Je prends toujours le métro.
L'enquêteur: Toujours ?
La photographe: Non, pas toujours. Je rentre parfois en taxi.
L'enquêteur: Et après, vous sortez ?
La photographe: Je vais souvent dans des boîtes avec des copains.
L'enquêteur: Vous pratiquez un sport ?
La photographe: Je fais de la danse.
L'enquêteur: J'ai encore une question, vous répondez si vous voulez. Combien gagnez-vous ?
La photographe: Ça dépend des mois. Entre sept et huit mille.
L'enquêteur: Merci beaucoup.

---

1. *La Défense:* Quartier de bureaux, situé dans la banlieue ouest de Paris, en train de devenir le nouveau centre des affaires.
2. *Lipp:* Brasserie célèbre, située à Saint-Germain des Prés, fréquentée par des hommes politiques et des intellectuels. Il est difficile d'y avoir une table si on n'est pas connu.
3. *Place de la Bastille:* Le vendredi soir, lieu de rendez-vous des jeunes motards.
4. *Renault:* Entreprise nationalisée de construction de voitures.
5. Equipes d'ouvriers qui se succèdent dans un système de production (trois équipes de huit heures).
6. *Le S.M.I.C.:* Salaire Minimum Interprofessionnel de Croissance. Il s'agit du niveau de salaire minimal au-dessous duquel aucun employeur ne peut descendre pour rémunérer un salarié valide adulte (18 ans). Il est indexé sur les prix de 295 articles de consommation courante. Au 1er janvier 1982, le S.M.I.C. était de 3 146,78 Francs par mois. Les salariés payés au S.M.I.C. sont appelés « smicards ».

SITUATION 3
LE GRUTIER

L'enquêteur: Monsieur, s'il vous plaît, vous voulez bien répondre à quelques questions?
Le grutier: « Ouais », pourquoi pas, quelles questions?
L'enquêteur: D'abord, où est-ce que vous travaillez?
Le grutier: Moi, je suis dans le bâtiment.
L'enquêteur: Votre profession?
Le grutier: « Ben », je suis grutier.
L'enquêteur: Vous déjeunez où?
Le grutier: Je mange sur le chantier. J'apporte ma gamelle. Quelquefois, je vais au restaurant.
L'enquêteur: Vous finissez le travail à quelle heure?
Le grutier: A cinq heures et demie.
L'enquêteur: Et vous rentrez chez vous comment?
Le grutier: « Ben », j'ai ma voiture.
L'enquêteur: Le soir, vous sortez?
Le grutier: Le soir, je regarde la « télé », le samedi, je vais au cinéma quelquefois.
L'enquêteur: Vous pratiquez un sport?
Le grutier: Oui, je fais de la bicyclette.
L'enquêteur: Vous répondez si vous voulez à la dernière question. Vous gagnez combien?
Le grutier: Cinq mille francs par mois.
L'enquêteur: Merci beaucoup.

SITUATION 4:
L'ENFANT

L'enquêteur: S'il te plaît, jeune homme, je peux te poser quelques questions?
L'enfant: Quoi? Qu'est-ce que c'est?
L'enquêteur: Où est-ce que tu travailles?
L'enfant: « Je travaille pas », je suis à l'école.
L'enquêteur: « Et où tu manges à midi »?
L'enfant: A la cantine.
L'enquêteur: Tu finis l'école à quelle heure?
L'enfant: A quatre heures et demie.
L'enquêteur: Comment tu rentres chez toi?
L'enfant: Eh « ben », à pied.
L'enquêteur: Et le soir, tu sors?
L'enfant: « Moi, je sors pas, moi, ma mère, elle veut pas ».
L'enquêteur: Tu pratiques un sport?
L'enfant: Oui, je fais de la « gym » à l'école.
L'enquêteur: Tu as de l'argent de poche?
L'enfant: J'ai dix francs par semaine.
L'enquêteur: Merci.

SITUATION 5
LES « LOUBARDS »

L'enquêteur: Pardon, Messieurs, je veux vous poser quelques questions?
Jeune homme 1: « Faut voir », il s'agit de quoi?
L'enquêteur: Vous travaillez où?
Jeune homme 2: « On travaille pas ».
L'enquêteur: A midi, vous déjeunez?
Jeune homme 2: « On bouffe pas », on est « fauchés », nous.
L'enquêteur: Et vous circulez comment?
Jeune homme 1: En moto, « on a la Honda ».
L'enquêteur: Le soir, vous sortez?
Jeune homme 2: « C'est sûr qu'on sort ». On va à La Bastille[3]. Et vous, qu'est-ce que vous faites?
L'enquêteur: Je suis journaliste. Vous pratiquez un sport?
Jeune homme 1: « Ben » oui, on fait de la moto.
L'enquêteur: Merci.

SITUATION 6
LE TRAVAILLEUR IMMIGRÉ

L'enquêteur: Monsieur, s'il vous plaît, je peux vous poser quelques questions?
Le travailleur: Oui, d'accord.
L'enquêteur: Qu'est-ce que vous faites?
Le travailleur: Je suis O.S. chez Renault[4].
L'enquêteur: Vous déjeunez où?
Le travailleur: A la cantine.
L'enquêteur: Vous finissez à quelle heure?
Le travailleur: Ça dépend des jours, je fais les trois-huit[5].
L'enquêteur: Vous circulez comment?
Le travailleur: « Y a » le car de l'usine.
L'enquêteur: Qu'est-ce que vous faites le soir?
Le travailleur: Je regarde la « télé », quelquefois on va au bistro.
L'enquêteur: Vous pratiquez un sport?
Le travailleur: Non, je regarde le « foot » à la « télé ».
L'enquêteur: Maintenant, vous répondez si vous voulez. Combien gagnez-vous?
Le travailleur: Je suis travailleur immigré. Je suis payé au S.M.I.C.[6].
L'enquêteur: Merci beaucoup.

unité
3

Où allez-vous?

ambiance

... « Et les routes vont toutes chez les hommes. »...

situations

— Où est le téléphone, s'il vous plaît?
— Juste derrière vous!

— Je ne trouve pas les passeports, où sont-ils?
— Je les ai mis dans ta serviette, avec les papiers.

— La gare de Lyon, c'est loin?
— Oui, il faut prendre le métro et changer à Concorde.

— Où est-ce qu'on dîne, ce soir?
— On pourrait aller rue Mouffetard.
— C'est dans quel quartier, la rue Mouffetard?
— Dans le 5e, derrière le Panthéon.

— Qu'est-ce que j'ai fait de ma pince ?
— Tu ne la trouves pas, tu l'as oubliée dans la voiture, peut-être ?

— Pour monter à la Tour Eiffel, s'il vous plaît ?
— Vous prenez l'ascenseur là-bas, à gauche.

— Où est-ce que ça se trouve, les Puces ?
— A la Porte de Saint-Ouen.

à lire et à découvrir

AVANT ET MAINTENANT

A cet endroit, au XIIe siècle, il y avait un château.

Au XVIe siècle, dans le jardin du Luxembourg, il y avait un palais royal.

Au XVIIIe siècle, sur le port de Marseille, il y avait une grande et belle maison.

Marina Vlady dans
Deux ou trois choses que je sais d'elle,
un film de J.-L. Godard

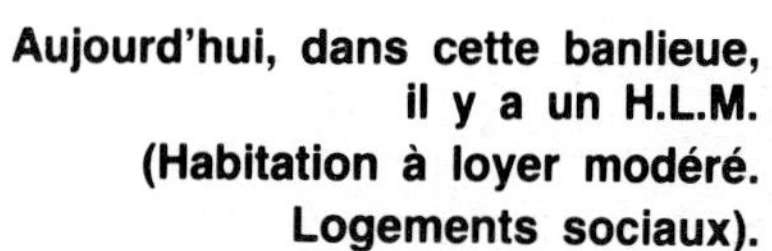

Aujourd'hui, dans cette banlieue, il y a un H.L.M. (Habitation à loyer modéré. Logements sociaux).

— J'étais dans le métro, debout ;
je lisais mon journal ;
il y avait beaucoup de monde...
FRANCE
— Oui, Monsieur,
j'avais de l'argent dans mon sac, mes papiers.
J'avais aussi mon chéquier, des cigarettes...
Et regardez : mon sac est vide !

— J'étais brune,
je travaillais,
je faisais beaucoup de sport...
Et maintenant...
— J'ai les cheveux blancs,
je ne travaille plus,
je suis à la retraite,
mais je fais beaucoup de choses.

pratique de la langue

SAVEZ-VOUS DEMANDER VOTRE CHEMIN ?

Vous êtes perdu, vous ne connaissez pas votre chemin.

Voici ce que vous pouvez dire :
— Je vais à Beaubourg.
— Par où faut-il passer pour aller là-bas ?
— Par ici ou par là ?
— C'est loin ? C'est de quel côté ?
— De quel côté est-ce que ça se trouve ?
— Comment faire pour aller à l'Opéra ?
— C'est dans quelle direction ?

VOUS VOULEZ SITUER UN LIEU

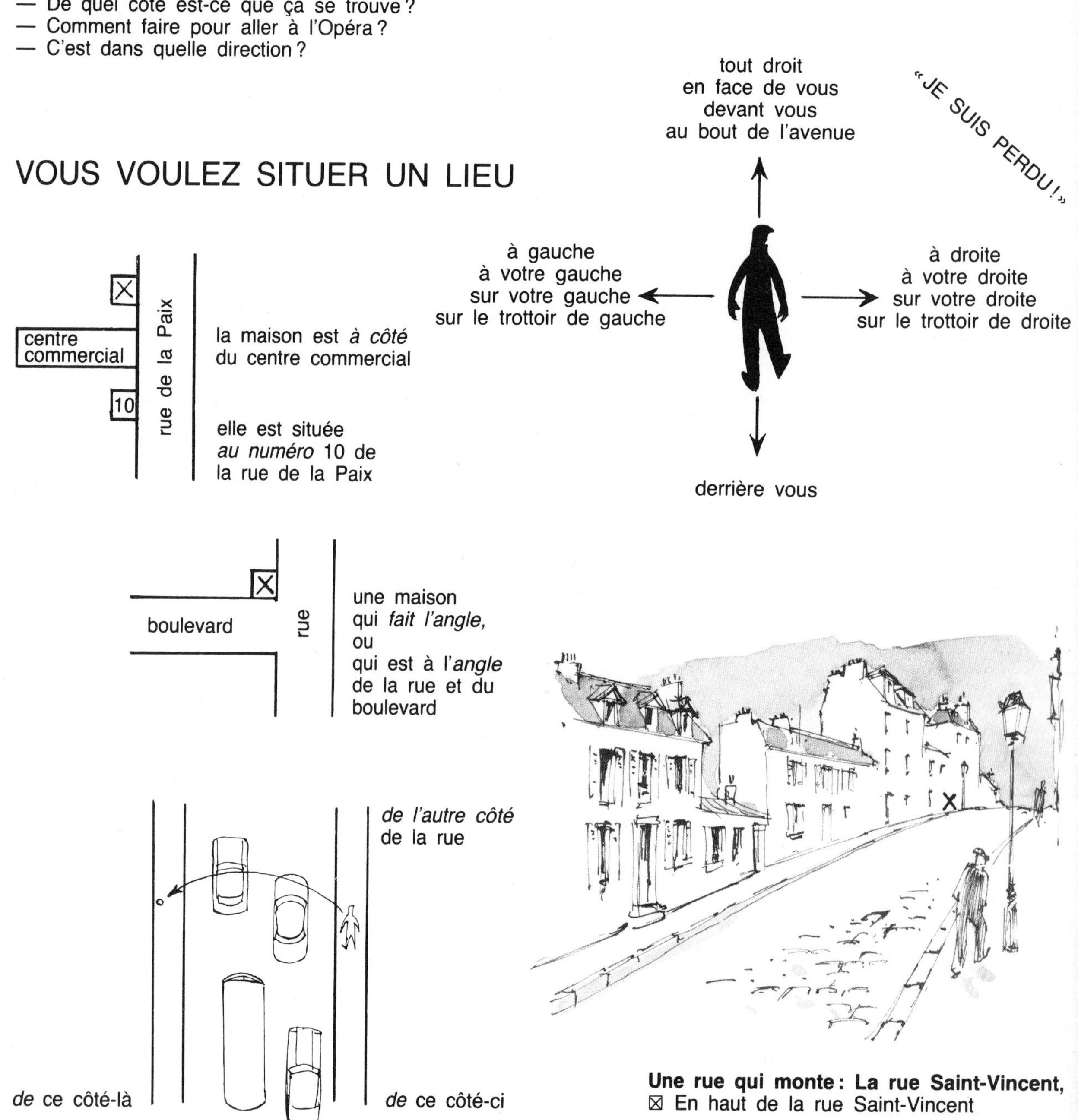

Une rue qui monte : La rue Saint-Vincent,
☒ En haut de la rue Saint-Vincent

VOUS CHERCHEZ UN MOYEN DE TRANSPORT :

Autobus : — Où se trouve l'arrêt du 91 ?
— Où est l'arrêt de l'autobus qui va à la Bastille ?

Métro : — Je cherche la station de métro « Invalides ».
— Ou se trouve le métro « Gaîté » ?

Taxi : — Y a-t-il une station de taxis près d'ici ?

Vous voulez savoir la fréquence de passage d'un autobus :

— Le 22 passe tous les combien ?
— Il passe toutes les cinq minutes.

ET MAINTENANT, VOICI LES FORMES DE QUELQUES VERBES UTILES POUR INDIQUER UNE DIRECTION :

Infinitif	*Impératif*	*Présent*	*Futur*
traverser	traversez	vous traversez (tu traverses)	vous traverserez (tu traverseras)
continuer	continuez	vous continuez	vous continuerez
demander	demandez	vous demandez	vous demanderez
tourner	tournez	vous tournez	vous tournerez
marcher	marchez	vous marchez	vous marcherez
longer	longez	vous longez	vous longerez
passer	passez	vous passez	vous passerez
trouver	trouvez	vous trouvez	vous trouverez

Les verbes *irréguliers* :

Infinitif	*Impératif*	*Présent*	*Futur*
prendre	prenez	vous prenez (tu prends)	vous prendrez (tu prendras)
aller	allez	vous allez (tu vas)	vous irez (tu iras)
voir	voyez	vous voyez (tu vois)	vous verrez (tu verras)
suivre	suivez	vous suivez (tu suis)	vous suivrez (tu suivras)
passer (par)	passez (par)	vous passez tu passes	vous passerez (tu passeras)

EXERCICE 1

Voici une série de phrases contenant des indications de direction :

— *Prenez* la première à droite, *suivez*-la jusqu'au deuxième feu rouge et ensuite tournez à gauche.
— *Allez* au bout de cette rue, *traversez* la place et *demandez* à l'agent.
— *Continuez* dans cette direction, *marchez* environ deux cents mètres, *passez* le troisième feu rouge, vous *allez voir* un grand immeuble en face de vous, c'est là.
— *Prenez* l'avenue à votre gauche, *longez* le mur de l'usine, *allez* jusqu'au premier carrefour et là, vous *allez trouver* l'arrêt d'autobus.
— Vous *pouvez prendre* la rue de l'Arrivée ou la rue du Départ, ensuite *passez* sous le pont, *traversez* l'avenue que vous *allez voir* devant vous, c'est là, sur le trottoir de gauche.

1. Transformez les phrases en utilisant le présent.
2. Transformez les phrases en utilisant le futur.
3. Transformez les phrases en utilisant la forme « tu » au présent.

EXERCICE 2

Répondez aux questions suivantes à l'aide du plan du quartier Saint-Germain/Odéon.

1. Vous êtes à l'angle du boulevard Saint-Germain et de la rue du Four. De quel côté se trouve l'église Saint-Germain-des-Prés ?
2. Je sors du métro à la station Mabillon, et je veux aller au cinéma qui se trouve à l'angle de la rue de Rennes et du boulevard Saint-Germain. Par où faut-il passer ?
3. Je sors de l'Université René Descartes-Paris V et je cherche l'École des Beaux-Arts. Pouvez-vous me renseigner ?
4. Est-ce que la sortie du métro Saint-Germain se trouve sur le même trottoir que l'église ?
5. Je me trouve à l'angle de la rue de l'Ancienne Comédie et du boulevard Saint-Germain. Par où faut-il passer pour aller place Saint-Sulpice ?

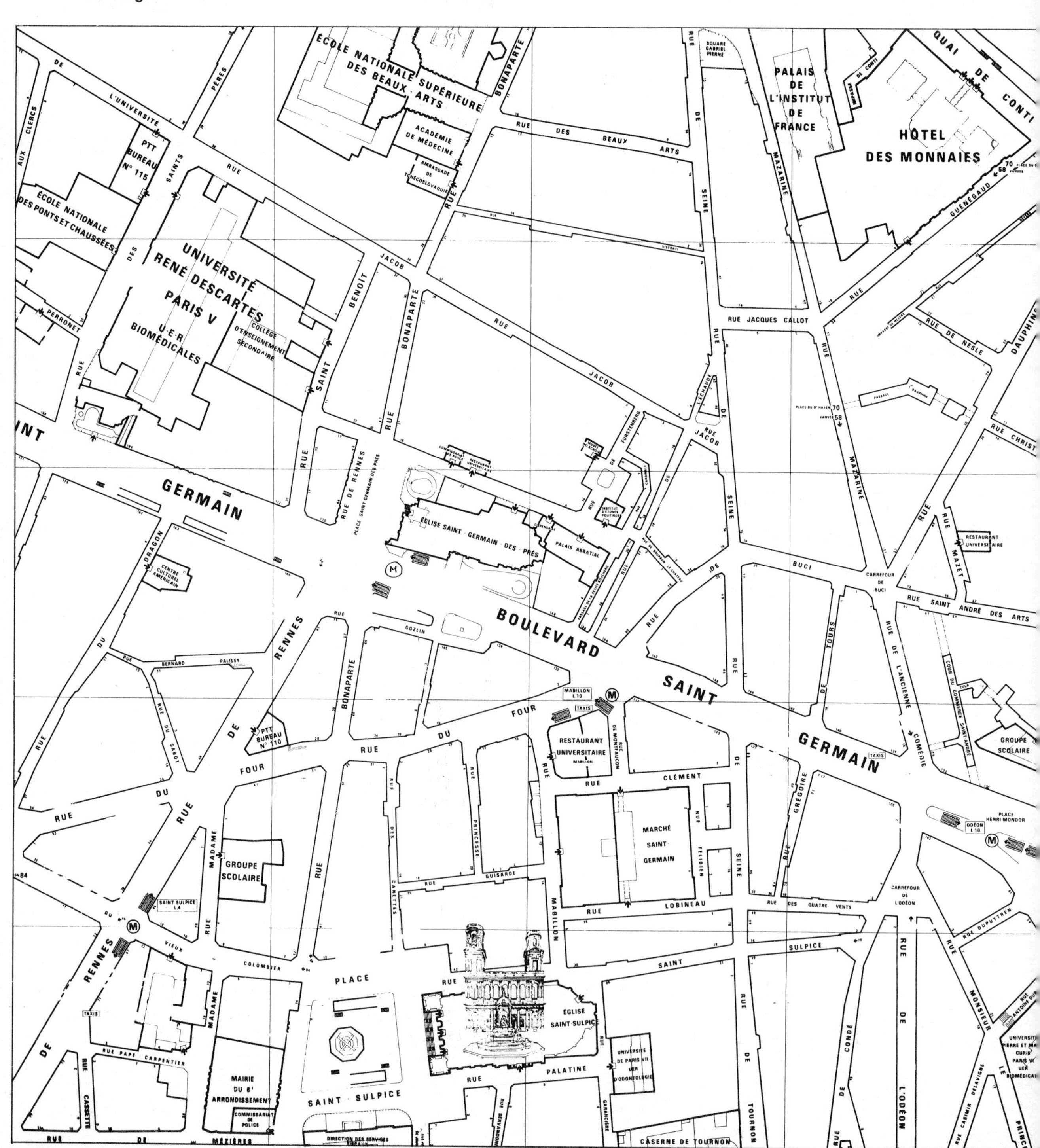

UN PEU DE GRAMMAIRE

COMPAREZ

• *La* jeune fille *du* train.

Dans la construction ci-dessus *du, de la, de l', des* renvoient à des personnes, animaux ou objets *particuliers* :

• la jeune fille *du* train (le train de banlieue)
• le collier *du* chien (le chien perdu)
• l'adresse *de la* petite fille (la petite fille perdue)
• la réception *de* l'hôtel
(l'hôtel où habite Philippe Holder)
• la cantine *de* l'école
(l'école où va le petit garçon) ;

• *le* billet *d'*avion
• *un* billet *d'*avion

Dans les constructions suivantes *de* ou *d'* introduisent un nom qui a une valeur *générale*.
Cette construction a une fonction de caractérisation :

• un billet d'avion et un billet de train
• un professeur de français et un professeur d'anglais
• un photographe de mode
• un train de banlieue
• un numéro de téléphone
• une voiture de police

APPRENEZ

L'adjectif possessif s'accorde avec l'objet possédé :

Jeanne a [un] sac / [une] montre / [des] lunettes — Elle perd [son] sac / [sa] montre / [ses] lunettes

Voici la liste des adjectifs possessifs :

masculin	*féminin*	*pluriel*	*masculin/féminin*	*pluriel*
mon	ma	mes	notre	nos
ton	ta	tes	votre	vos
son	sa	ses	leur	leurs

REMARQUEZ

Quelques impératifs utilisés au téléphone :

• Attendez un instant.
• Ne quittez pas.
• Raccrochez, je vous rappelle.
• Rappelez-moi ce soir.

Quelques formules utiles :

• Le poste est occupé, vous patientez ?
• Je vous entends très mal.
• Monsieur Dupond est en réunion, il vous rappellera.

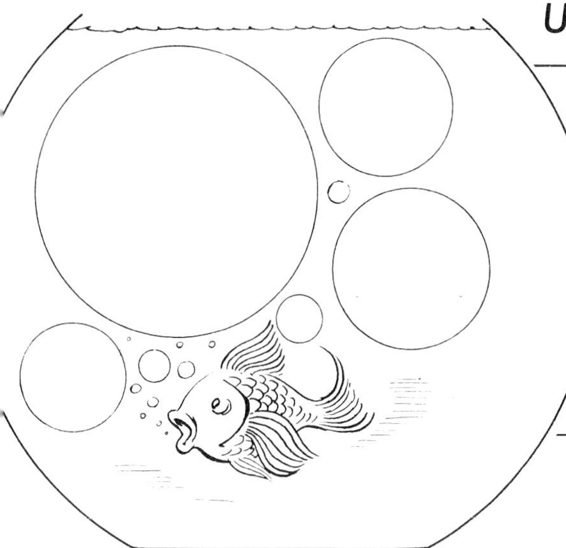

UN PEU DE STYLISTIQUE

Voici un petit poème : *Pardon Monsieur*
De quel côté est le canal ?
Dans mon bocal
Je tourne en rond
Les mers fermées, c'est limité
Pour un poisson.

Pouvez-vous composer un poème sur cette structure en pensant à : un oiseau, un prisonnier, une fleur, un arbre, etc., qui cherchent le soleil ou la justice, ou la rivière, ou l'amour...

pour aller plus loin

QUELQUES
BONNES ADRESSES

**VOUS CHERCHEZ
UN RESTAURANT**

Restaurant « Le train bleu »
de la gare de Lyon à Paris.

OUVERTS APRES MINUIT

ASSIETTE AU BŒUF
T.l.j. jusq. 1 h mat. Formule bœuf 38,90 F s.n.c. 103, bd Montparnasse, 22, r. Guillaume-Apollinaire - 9, bd des Italiens - 123, av. Champs-Elysées.

AUBERGE DAB
161, av. Malakoff. **Poissons - Rôtisserie - Choucroute.** Ouvert t.l.j. jusqu'à 2 h du matin. Réservation conseillée : 500.32.22/36.57.

BAR A HUITRES
112, bd Montparnasse, 320.71.01. **Seul bar à Paris où vous pouvez déguster même une huître -** Jusque 2 h du matin.

BAUMANN BALTARD
9, rue Coquillière (1er) 236.22.00. Ouv. t.l.j. tard la nuit, même le dim.

BISTRO DE LA GARE
T.l.j. jsq. 1 h mat. Menu 38,90 F s.n.c. et nouvelles suggestions 38, bd des Italiens - 73, Champs-Elysées - 30, rue Saint-Denis - 59, bd Montparnasse.

LE BŒUF SUR LE TOIT
34, rue du Colisée 8e - 359.83.80. **Déjeuners Dîners - Piano bar.**

BRASSERIE SCOSSA
501.73.67. T.l.j. jusq. 1 h. 8, place Victor-Hugo. **Fruits de mer, grillades, pâtisseries maison.**

LA CARAVELLE
Jour et nuit, 359.14.35. Déj., dîner, souper 50 à 60 F. 4, rue Arsène-Houssaye (8e).

LA COUPOLE
320.14.20. 102, bd Montparnasse - Service ininterrompu de midi à 2 h du matin.

LE CONGRES
80, av. de la Grande-Armée. **Huîtres, coquillages, crustacés à emporter.** T.l.j. jusq. 2 h mat. 1er écailler 1978. Rés. 574.17.24.

L'EUROPEEN
343.99.70. Face gare de Lyon. **Banc d'huîtres, cuis. d'autrefois.** Déj. d'affaires, dîn., soupers, choucroutes.

LE GRAND CAFE
24 h sur 24, **son banc d'huîtres réfrigéré, poissons, grillades.** 4, bd des Capucines. 472.75.77.

LE GRAND PAVOIS
8, rue Boutebrie 5e. 633.86.24. F. dim. **Dîners, soupers jusq. 2 h sur un bateau musique.**

LE LOUIS XIV
8, bd St-Denis. Déj. dîn. souper, 208.56.56 200.19.90. F. lundi, mardi, **Fr. de mer, crust. rôtisserie, gibiers.** Parking assuré par voiturier.

LA MAISON D'ALSACE
24 h sur 24. 39, Champs-Elysées. 359.44.24. **Ses choucr., son foie gras, son banc d'huîtres.**

LE MODULE
106, bd Montparnasse, 354.98.64. **Fruits de mer et grillades,** de midi à 3 h du matin.

LE PETIT ZINC
T.l.j. 354.79.34. 25, rue de Buci. **Huîtres, vins de pays.** De midi à 3 h du matin.

PIED DE COCHON
24 h sur 24. Tél. : 236.11.75. **Le fameux restaurant des Halles. Fruits de mer, grillades.** 6, rue Coquillière.

LA POULE AU POT
9, rue Beauvilliers, 236.32.96. Halles. De 19 h à 7 h du matin. Ambiance sympa. On y mange bien.

STELLA
Angle av. V.-Hugo et Pompe. 727.60.54. **Huîtres, coquillages** tte l'année. T.l.j. vins jeunes Loire et Beaujolais.

CINÉMA

CINEMA LE DENFERT
ALAINS
ROBBE-GRILLET . RESNAIS

14 JUILLET BEAUGRENELLE
575.79.79
• BANDITS, BANDITS
• TIREZ SUR LE PIANISTE
• LA FOLLE HISTOIRE DU MONDE
• GEORGIA
• GALLIPOLI
80 BOUTIQUES - 8 RESTAURANTS - PARKING 16, rue Linois (15e)

Déjà 64 000 spectateurs ont vu
LA GUERRE DU FEU
c'est le Record d'Entrées en 5 semaines !
en 70 mm Dolby Stéréo - Voir horaires page 68

Une soirée au théâtre est une véritable fête

THÉÂTRE

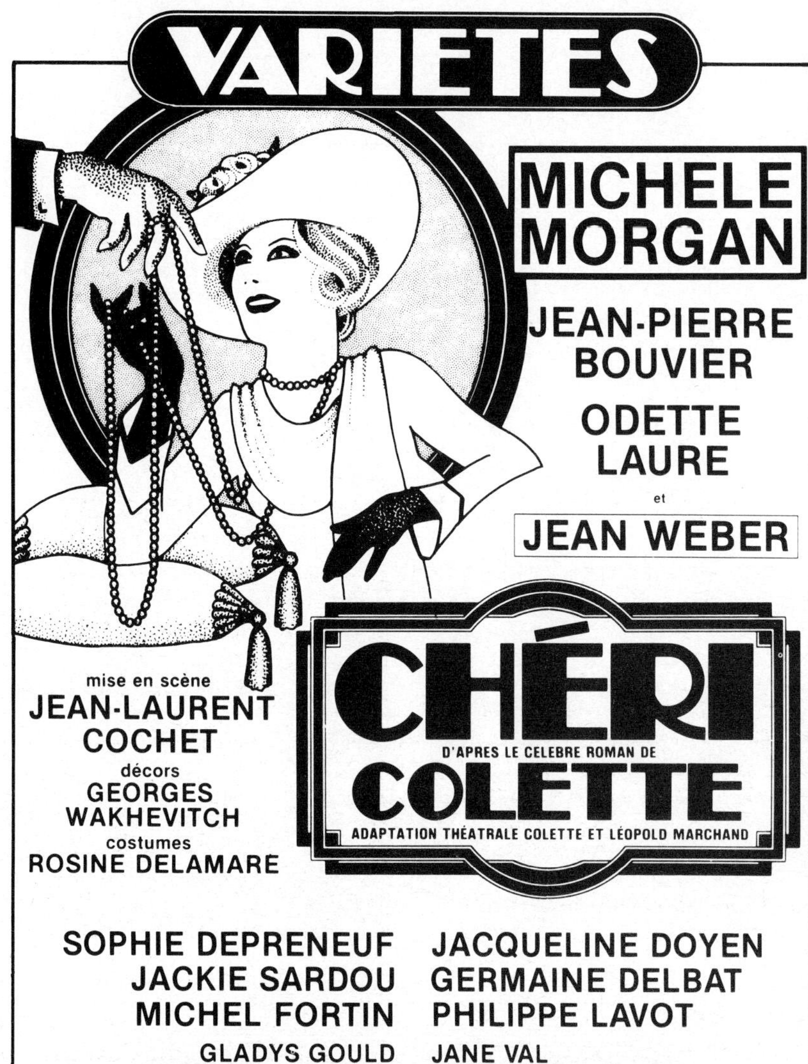

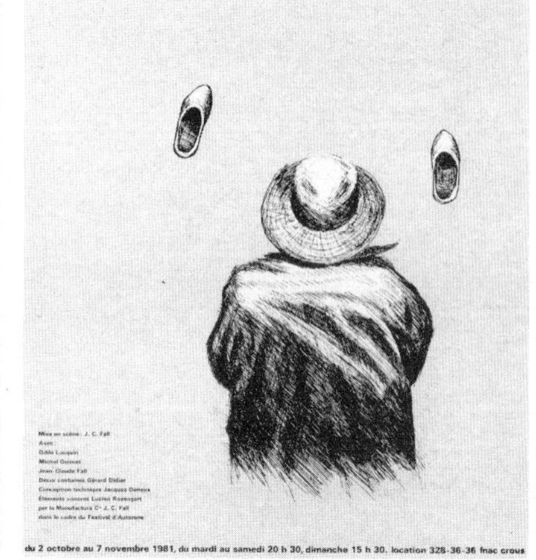

CRITIQUES DE THÉÂTRE

MARIE TUDOR
de Victor Hugo

Il y a déjà une « Marie Tudor », jouée à la Comédie-Française. En voici une autre, qui est loin d'être indifférente. Gilles Bouillon, metteur en scène, a raccourci le texte. Il a bien fait. Ni les grands sentiments ni le style parfois fulgurant de Hugo n'y perdent. Là où l'on est moins d'accord, c'est sur le parti pris décoratif : murs abstraits et costumes modernes. Rien ne rappelle ni l'époque où le drame est censé se passer ni celle où il a été écrit (1833). En revanche, des comédiens solidement tenus, dont se détache nettement Clémentine Amouroux, jeune personne que nous avions découverte chez Peter Brook et qui fait preuve ici d'un vrai tempérament de tragédienne, modernisé par une visible intelligence. Avec Christine Fersen à la Comédie-Française et Clémentine Amouroux à l'Athénée, on peut dire que « Marie Tudor » porte chance aux actrices. G. D.

Athénée (742-67-27), jusqu'au 29 mai.

LES CORBEAUX
d'Henry Becque

Créée il y a juste cent ans dans le même théâtre, la pièce de Becque montre la rapacité des hommes d'affaires de son temps. C'est Jean-Pierre Vincent, directeur du T.N.S., qui la met en scène.

Comédie-Française (296-10-20).

Extrait du *Nouvel Observateur*.

MUSIQUE

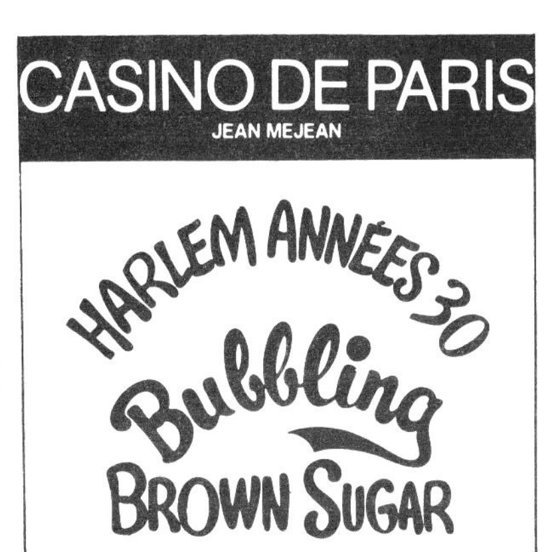

VOUS CHERCHEZ UNE DÉTENTE PHYSIQUE

Pour être en forme : sports et détente. Voici ce que le club « VITATOP » vous propose :

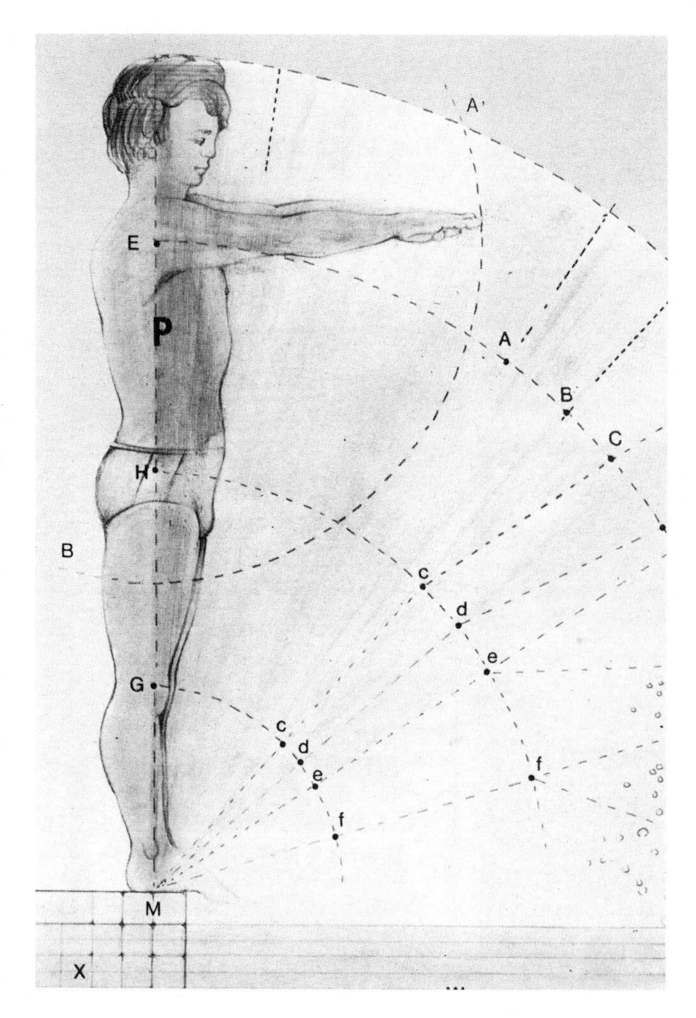

La forme. Un droit que VITATOP a étudié de près.
Pour vous VITATOP, la bonne méthode

METTEZ-VOUS EN FORME. ET ENTREZ DANS L'UNIVERS DE L'EFFORT.
Les exercices de l'effort : ceux qui vous préparent
Les exercices de l'effort : ceux qui vous transforment
Les appareils de l'effort

ENTRE EFFORT ET DETENTE : NATATION ET RECUPERATION

LES INSTALLATIONS DE LA DETENTE
- bain à remous, sauna, bain turc, vapeurs d'eucalyptus, solarium

LES ACTIVITES CLUB «A LA CARTE»
- massage, danse, yoga, karaté, service médical, soins esthétiques, salon de coiffure Maillot, Boutique Vitatop

PETIT GUIDE DE LA FORME

INFORMATIONS PRATIQUES

« JE PRENDS RENDEZ-VOUS AVEC VOUS »

QUELQUES EXPRESSIONS UTILES POUR DEMANDER, DONNER OU REFUSER UN RENDEZ-VOUS

- Vous demandez un rendez-vous à un médecin, un dentiste, etc. :
  - — Je téléphone pour prendre rendez-vous...
  - — Je voudrais un rendez-vous pour le lundi 10.
  - — Est-ce que je pourrais avoir un rendez-vous avec le docteur demain après-midi ?
  - — Vous pouvez me donner un rendez-vous pour la semaine prochaine ?
- Vous demandez un rendez-vous à un ami :
  - — Vous êtes libre mardi soir ?
  - — Est-ce que vous seriez libre ce soir ?
  - — Est-ce qu'on pourrait se voir demain à midi ou en fin d'après-midi.
  - — On peut se voir ce soir ?
- Vous acceptez le rendez-vous :
  - — Oui, avec plaisir.
  - — D'accord, c'est entendu.
  - — Oui, c'est possible.
  - — « O.K. », à ce soir.
- Vous n'êtes pas sûr(e) d'être libre :
  - — Attendez un instant s'il vous plaît, je vais voir si je suis libre.
  - — Vous patientez un moment, je vais chercher mon carnet de rendez-vous.
  - — Un instant s'il vous plaît, je vais voir.
  - — Je ne suis pas sûr(e) d'être libre, attends une minute, je prends mon carnet.
- Vous refusez le rendez-vous :
  - — Je suis désolé(e), je ne suis pas libre demain soir.
  - — C'est impossible, je regrette, je suis très pris en ce moment.
  - — Je suis vraiment désolé(e), je ne suis pas libre avant la semaine prochaine.
  - — Je ne peux pas, malheureusement, j'ai déjà un rendez-vous.
  - — Excusez-moi, mais je ne suis pas libre.
- Vous voulez annuler ou déplacer un rendez-vous :
  - — Je vais voir si je peux déplacer mon rendez-vous.
  - — Je vais tâcher de me libérer.
  - — Rappelle-moi ce soir.
  - — Je te rappelle pour confirmer.
- Vous fixer l'heure et le lieu du rendez-vous :
  - — On se retrouve où et à quelle heure ?
  - — Tu passes me prendre ?
  - — Je passe te prendre.
  - — On se donne rendez-vous au bar du Théâtre, à midi.
  - — On se retrouve devant l'entrée du cinéma.
- Vous prenez congé :
  - — C'est d'accord, à tout à l'heure !
  - — Entendu, à ce soir.
  - — A demain ! A ce soir !
  - — Salut, à bientôt !
  - — Bon, au revoir !

VOICI L'EMPLOI DU TEMPS DE SEPT PERSONNAGES

Alain RICHARD
Publicitaire

1982 MARS

Lundi 8
matin. Atelier maquettes
après-midi : idem
soirée : Festival d'Automne

Mardi 9
Voyage Londres. Rendez-vous Chef de Publicité magazine "Times"

Mercredi 10
matin : Retour de Londres en fin de matinée
après-midi : Bureau téléphoner à Jane
soir : Atelier

Jeudi 11
matin : Atelier
après-midi : Tournage
soirée : Libre

Vendredi 12
matin : Montage-mixage
après-midi : Atelier et bureau
soir : Cinéma

Samedi 13
matin : Bureau
après-midi : Sauna et salon de coiffure
soirée : Dîner en ville avec des amis

Dimanche 14
Jogging au Bois (chercher partenaire pour tennis)

91

Pierre VIGNAU
Agent de police

1982 AVRIL

Lundi 5
Service.

Mardi 6
Libre toute la journée, bricolage (peinture)

Mercredi 7
matin : service
après-midi : réunion hebdomadaire de service

Jeudi 8
Service
soirée réunion syndicale

Vendredi 9
Service

Samedi 10
matin : Gym au club.
Ap. midi : service
soirée : "

Dimanche 11 PAQUES
service
bicyclette avec les enfants
télévision.

95

Monsieur SCHMITT
Homme d'affaires

1982 MARS

Lundi 22
matin : réveil-téléphone à 6h - avion à 8h départ pour Londres

Mardi 23
rendez-vous et conférences - retour de Londres en fin de soirée.

Mercredi 24
matin : bureau
après-midi, 17h Conseil d'administration

Jeudi 25
9h30 Crédit Lyonnais - rendez-vous avec Directeur
après-midi : bureau
soirée : départ Bruxelles

Vendredi 26
matin : Rendez-vous d'affaires retour de Bruxelles en fin de matinée
après-midi, bureau

Samedi 27
matin, tennis
après-midi : à la maison
départ pour la campagne

Dimanche 28
retour de campagne vers 11h
Dîner au restaurant avec famille.

93

Madame DE LA ROCHE
Ne travaille pas

1981 NOVEMBRE-DÉCEMBRE

Lundi 30
matin : Arrivée de la nouvelle femme de ménage - mise au courant
après-midi : Libre - Chercher Baby Sitter pour mercredi A.M. - Tél. à une amie pour exposition vendredi - Chercher peintre pour la salle de bains

Mardi 1er
matin : Institut de beauté
après-midi : Coiffeur
Soirée : dîner à la maison (les Grimaldi viennent dîner)

Mercredi 2
matin : toilettage du chien
après-midi : jour de sortie de la femme de ménage - Club d'aide aux réfugiés d'Asie.

Jeudi 3
matin : Cours de danse Salle Pleyel
après-midi : Exposition avec une amie
soirée : Cocktail à 18 h

Vendredi 4
matin : libre
après-midi : bridge à 15 h 15
Soirée : départ en wagon-lit pour Megève

Samedi 5
MEGEVE - Ski

Dimanche 6
MEGEVE - Ski avec Louis

prévoir Baby Sitter pour le week-end

71

MAUD
Comédienne

1982 **MAI**

Lundi 3
Matin : Répétition Théâtrale
après-midi : vente salle Drouot, recherche coiffeuse Louis XVI

Mardi 4
Répétition toute la journée

Mercredi 5
Matin : Répétition, audition à 11 h 30
après-midi : cinéma avec Julie à 14 h
soirée : Libre. chercher quelqu'un pour Théâtre de jeudi

Jeudi 6
Matin : Répétition
après-midi : Piscine
Soirée : Théâtre à 21 h, une place libre à offrir à quelqu'un

Vendredi 7
Matin : Répétition
après-midi : Essayage (prévoir après-midi de dimanche)

Samedi 8
Matin : Cours de claquettes.
après-midi : Répétition
Soirée : "Générale" à 21 h

Dimanche 9
Matin : Grosse matinée
Faire le marché
après-midi :
Visite des copains

99

Jean-Claude BINET
Etudiant

1982 **JUIN**

Lundi 14
matin : Si en forme, cours à la Fac
après-midi : Si courage, jouer de la guitare dans le métro pour me faire un peu de fric
soirée : voir des copains à la cité universitaire

Mardi 15
Rien de la journée
soirée : Bouffer chez Jane

Mercredi 16
matin : Grasse matinée
après-midi : Guitare dans le métro
soirée : Prendre un pot avec Michel pour rencontrer Jane (confirmer)

Jeudi 17
matin Libre
après-midi : Rien en vue !
soirée : Discothèque avec Jane (la rappeler)

Vendredi 18
matin : cours de français à la Fac
après-midi. Réunion du groupe de guitare avec des copains
soirée. Décommander la promenade à bicyclette avec Jane

Samedi 19
matin : Grasse matinée parce que complètement crevé
soirée : Boum maison du Canada à la cité universitaire

Dimanche 20
DIMANCHE : Répétition avec Groupe de guitare

105

Madame LEDOUX
Mère de famille

NOVEMBRE

Lundi 2
matin : Conduire les enfants à l'école + courses + ménage
Après-midi : Repassage - Chercher les enfants à l'école
Préparer le dîner
Soirée : Film à la télé

Mardi 3
matin : enfants à l'école - 10h = Cours de coupe
après-midi : Faire les vitres de l'appartement
Préparer gâteau pour goûter des enfants
Soirée "Les Dossiers de l'écran" à la télé

Mercredi 4
matin : Conduire les gosses à la Maison de la Culture.
Après-midi : Libre jusqu'à 17 h 30
Soirée : Cinéma

Jeudi 5
Matin : même programme que lundi mat.
Après-midi = Soldes

Vendredi 6
matin : Conduire les enfants à l'école
Faire le marché pour le week-end
Après-midi : Yoga
Soirée : "Apostrophes" à la Télévision

Samedi 7
matin : enfants en classe
Après-midi : promenade en forêt à bicyclette avec Antoine et les enfants
Soirée : Sortie avec Antoine.

Dimanche 8

66

— OÙ VONT-ILS ?

Anna Karina et Jean-Paul Belmondo
dans *Pierrot le Fou,*
un film de Jean-Luc Godard.

textes

CANEVAS DE JEUX DE RÔLES

CANEVAS 1

Recherche d'un bureau de poste.

— Un passant demande le bureau de poste le plus proche.
— Le passant 2 ne peut pas le renseigner.
— Le passant s'adresse à une autre personne.
— Cette personne lui demande ce qu'il veut faire à la poste.
— Le passant 1 veut téléphoner.
— Le passant 3 lui répond qu'il y a un téléphone à l'arrêt d'autobus.
— Le passant remercie.

CANEVAS 2

Un étranger fait un numéro de téléphone. Il peut tomber sur :

— une personne inconnue (aimable ou désagréable) ;
— un répondeur automatique ;
— un disque des PTT : « Le numéro de votre correspondant a changé. Veuillez consulter l'annuaire » ou : « Il n'y a pas d'abonné au numéro que vous avez demandé ».

Imaginez la réponse de la personne inconnue et du répondeur automatique.

CANEVAS 3

Une personne entre dans un café pour téléphoner.

— Le patron lui demande s'il est consommateur.
— Le client s'étonne.
— Le patron refuse de le laisser téléphoner.
— Le client va dans un autre café.
— Le patron lui dit que le téléphone ne marche pas.
— Commentaire du client.

CANEVAS 4

Trois collègues sortent du bureau à midi. Ils décident d'aller déjeuner ensemble. A a faim et veut un bon restaurant. B est « fauché ». C est végétarien.

— A propose un restaurant et invite B.
— B remercie et accepte.
— C demande où ils vont.
— A explique où c'est.
— C trouve que c'est trop loin et trop cher.
— A propose un restaurant gastronomique, mais pas trop cher.
— C dit qu'il va dans son restaurant habituel et essaye de les emmener.
— A et B refusent.

ACTIVITÉ DE PRODUCTION LIBRE

« QUESTIONNAIRE SUR LES LIEUX »

1. Où êtes-vous né(e) ?
2. Où avez-vous fait vos études ?
3. Avez-vous voyagé à l'étranger ou dans votre pays ? Où ?
4. Où habitez-vous ?
5. Où travaillez-vous ?
6. Où passez-vous vos vacances ?
7. Quand vous sortez, le soir ou pendant les week-ends, où aimez-vous aller ?
8. Où est situé le lieu de vos rêves (le paysage ou le pays où vous aimez voyager en rêve) ?

En analysant les réponses aux questions 6, 7 et 8, vous dégagerez les points suivants :

- les lieux favoris de sorties (week-end et soirées) ;
- les lieux auxquels on rêve.

Vous dites si les lieux de vacances et les lieux de rêve sont identiques.

EXERCICES A CHOIX MULTIPLES

Voici trois phrases. Une seule correspond à la situation.
Dites si c'est la première, la deuxième ou la troisième.

SITUATION 1
LE COUP DE FIL

1. On demande le client au téléphone.
   Le client doit téléphoner.
   Le client demande les menus tout de suite.
2. Le client ne téléphone pas.
   Il ne sait pas où est le téléphone.
   Il n'y a pas de téléphone dans ce restaurant.
3. Le client demande de l'argent à la caissière pour téléphoner.
   La caissière lui donne la monnaie de dix francs.
   Le client demande des jetons de téléphone à la caissière.
4. Le téléphone ne marche pas et il ne rend pas les pièces.
   Le téléphone ne marche pas mais il rend les pièces.
   Il n'y a qu'un seul téléphone.
5. Le client n'a pas donné son coup de fil.
   Le client n'a pas envie de parler de son coup de fil.
   Le client raconte son coup de fil.

SITUATION 2
JE CHERCHE LA GARE

1. Le jeune homme cherche la gare Saint-Lazare.
   Il cherche la gare pour Marseille.
   Il cherche la station de métro Saint-Lazare.
2. Le jeune homme est loin de la gare Saint-Lazare.
   La station de métro Saint-Lazare est assez loin.
   Il est loin de la gare de Lyon.
3. Le métro est direct.
   Pour aller à la gare de Lyon, le jeune homme doit changer une fois.
   Il doit changer de métro à la Mairie d'Issy.
4. Le jeune homme cherche un taxi.
   Il cherche un agent.
   Il cherche à avoir de l'argent.
5. Les jeunes gens cherchent de l'argent pour aller à Lyon.
   Les deux jeunes gens sont honnêtes.
   Les deux jeunes gens se débrouillent assez bien.

SITUATION 3
OÙ SONT LES BILLETS D'AVION ?

1. L'homme est au bureau.
   L'homme est dans l'appartement.
   L'homme est à l'aéroport.
2. Sa femme est à la cuisine.
   Sa femme est sous la douche.
   Sa femme est au bureau.
3. Il a perdu les billets d'avion.
   Il a perdu sa serviette.
   Il cherche le guide bleu.
4. Les passeports sont dans la valise.
   Les passeports sont dans la serviette du mari.
   Les passeports sont dans le guide bleu.
5. L'avion part vers midi.
   L'avion part le soir.
   L'avion part le lendemain.

SITUATION 4
OÙ EST-CE QU'ON DÎNE CE SOIR ?

1. La jeune fille est d'accord pour sortir mais pas pour aller au restaurant.
   La jeune fille est d'accord pour dîner, elle propose un restaurant.
   La jeune fille est d'accord pour dîner mais elle ne connaît pas de restaurant.
2. Au restaurant de la Porte Maillot, il y a trop de monde.
   Au restaurant de la Porte Maillot, c'est trop cher.
   Au restaurant de la Porte Maillot, c'est trop loin.
3. La jeune fille ne veut pas aller au restaurant.
   La jeune fille voudrait aller dans un restaurant chinois.
   La jeune fille voudrait manger des brochettes.
4. Le jeune homme propose d'aller rue Mouffetard.
   Il demande où est la rue Mouffetard.
   Il invite la jeune fille mais pas au restaurant.
5. La rue Mouffetard se trouve près de la Porte Maillot.
   La rue Mouffetard se trouve près du Panthéon.
   Le restaurant *l'Entrecôte* se trouve rue Mouffetard.

TEXTES DES DIALOGUES

SITUATION 1
LE COUP DE FIL

Dans un restaurant.

Le serveur : Messieurs-Dames, vous avez choisi ?
Le client : Un instant, s'il vous plaît.
(à la cliente) : Excuse-moi, je reviens tout de suite, il faut que je « passe un coup de fil ».
(au serveur) : Où est le téléphone s'il vous plaît ?
Le serveur : Au sous-sol.
Le client : Vous avez des pièces ?
Le serveur : Non, demandez à la caisse.

A la caisse.

Le client : Je voudrais la monnaie de dix francs, s'il vous plaît.
La caissière : Tenez, voilà.
Le client : Merci.

Devant les cabines téléphoniques.

Une employée : Celui-là ne marche pas. Il ne rend pas les pièces. Prenez l'autre.
Le client : Allô ! Antonio ! C'est toi, ça marche l'affaire ? OK ! A demain !

Dans la salle de restaurant.

La cliente : Alors, ce coup de fil ?
Le client : Très bien ! Bon, alors, tu as choisi ?

SITUATION 3
OÙ SONT LES BILLETS D'AVION ?

Dans un appartement.

Le mari : Allô, je te dérange ?
L'épouse : « Ben », j'étais sous la douche.
Le mari : Je te rappelle si tu veux ?
L'épouse : Non, non, ça ne fait rien. Qu'est-ce qu'il y a ?
Le mari : Dis-moi ! Qu'est-ce que tu as fait des billets d'avion ? J'ai cherché partout, je ne les trouve pas.
L'épouse : Mais je les ai !
Le mari : Ah bon ! Et les passeports, tu les as aussi ?
L'épouse : Non, les passeports, je les ai mis dans ta serviette, au fond, avec le guide bleu, dans tes papiers.
Le mari : Dans ma serviette ? Attends, je regarde. Ah, oui, oui, je les ai. On part à midi. N'oublie pas. Ne sois pas en retard.
L'épouse : Non, non. A tout-à-l'heure.

SITUATION 2
JE CHERCHE LA GARE

Dans la rue.

Le jeune homme : Pardon Monsieur, je cherche la gare, c'est loin ?
Le passant : La gare Saint-Lazare, non, « c'est pas loin ». Prenez cette rue-là, devant vous, c'est tout droit et puis à gauche.
Le jeune homme : C'est bien la gare pour Marseille ?
Le passant : Ah, non, pour Marseille, c'est la gare de Lyon. Il faut prendre le métro. C'est assez loin. Allez au métro Saint-Lazare, vous prenez la direction Mairie d'Issy et vous changez à Concorde.
Le jeune homme : Ma valise est lourde...
Le passant : Prenez un taxi !
Le jeune homme : « J'ai pas » d'argent.
Le passant : Moi non plus ! Tenez, voilà un ticket de métro !

Dans un bar avec ses copains.

Jeune homme 1 : « Tu parles » ! Un ticket de métro en dix minutes, c'est rien !
Jeune homme 2 : Moi, j'ai vingt francs, regarde !
Jeune homme 1 : Bravo, tu te débrouilles bien !

SITUATION 4
OÙ EST-CE QU'ON DÎNE CE SOIR ?

Dans un bureau.

Le jeune homme : Tu sors avec moi ce soir ?
La jeune fille : Oui, d'accord, c'est une bonne idée.
Le jeune homme : Où est-ce qu'on dîne ?
La jeune fille : Où tu veux, ça m'est égal.
Le jeune homme : Tu connais un bon restaurant pas trop cher ?
La jeune fille : Pourquoi pas à *l'Entrecôte,* Porte Maillot ?
Le jeune homme : Il y a trop de monde, il faut attendre.
La jeune fille : Où est-ce qu'on peut manger des brochettes ?
Le jeune homme : Rue Mouffetard, il y a des restaurants grecs pas trop chers, et il y a de l'ambiance.
La jeune fille : Oui, formidable !
Le jeune homme : On se retrouve à huit heures ?
La jeune fille : Oui, Où ? Ça se trouve où, la rue Mouffetard ?
Le jeune homme : Tu ne connais pas « La Mouffe » ! C'est derrière le Panthéon, métro Censier.
La jeune fille : Ah bon ! D'accord ! A ce soir, à la sortie du métro.

SITUATION 5
LES CAMBRIOLEURS

Dans un appartement.

Cambrioleur 1: « T'as vu » la pendule sur la cheminée?
Cambrioleur 2: Oh, elle est trop grosse.
Cambrioleur 1: Eh! Regarde dans le buffet.
Cambrioleur 2: Il est fermé à clef.
Cambrioleur 1: « Ben » passe-moi la pince.
Cambrioleur 2: Ma pince, qu'est-ce que j'ai fait de ma pince?
Cambrioleur 1: Tu ne la trouves pas?
Cambrioleur 2: « Ben non », je l'ai oubliée.
Cambrioleur 1: Oh, « le fric, le fric », regarde sur l'armoire!
Cambrioleur 2: Comment? Tu es « marrant » toi! C'est trop haut.
Cambrioleur 1: « Eh ben », mets une chaise sur la table, dépêche-toi, quoi!
Cambrioleur 2: J'ai peur, vas-y toi!
Cambrioleur 1: Ecoute, tu veux le « fric », oui ou non?

SITUATION 7
LA TOUR EIFFEL

Sous la Tour Eiffel

Le touriste: Pardon, Madame, il y a un ascenseur pour monter?
La femme: Oui.
Le touriste: Il va jusqu'en haut?
La femme: Oui, quand il n'y a pas de vent.
Le touriste: Où se trouve l'entrée?
La femme: C'est là-bas, devant vous, à côté de la boutique de souvenirs.
Le touriste: C'est là où il y a les gens?
La femme: Oui, c'est ça.
Le touriste (s'adressant au guichet): deux tickets, s'il vous plaît.
Un homme: Hé, Monsieur, la queue, c'est là-bas derrière!
Le touriste: Oh, excusez-moi!
(à sa femme): Quelle vie! Au Louvre, et maintenant à la Tour Eiffel!

SITUATION 6
LES PUCES

Au restaurant universitaire, file d'attente.

Etudiante 1: Elle est jolie ta robe. Où est-ce que tu l'as achetée?
Etudiante 2: Aux Puces.
Etudiante 1: Aux Puces, dans quelle boutique?
Etudiante 2: Chez Virginie.
Etudiante 1: « Où c'est ça »?
Etudiante 2: Tu descends au métro Clignancourt. En sortant, tu prends la première rue en face et c'est tout de suite à gauche.
Etudiante 1: Je vais y aller. Je veux acheter la même.
Etudiante 2: Fais bien attention, c'est la deuxième ou troisième boutique sur la gauche.

unité 4

Que voulez-vous?

ambiance

situations

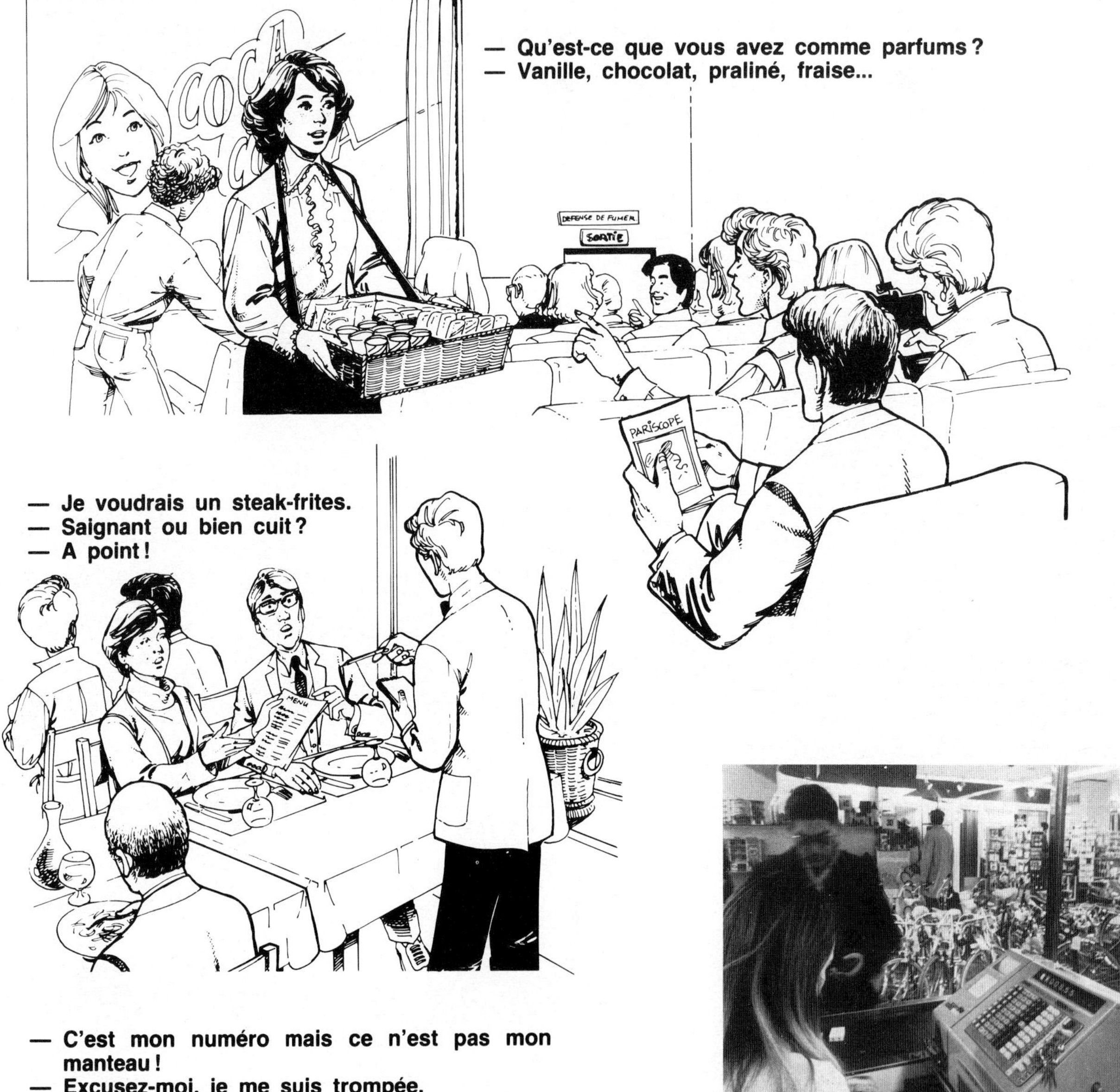

— Qu'est-ce que vous avez comme parfums ?
— Vanille, chocolat, praliné, fraise...

— Je voudrais un steak-frites.
— Saignant ou bien cuit ?
— A point !

— C'est mon numéro mais ce n'est pas mon manteau !
— Excusez-moi, je me suis trompée.
— Je vous en prie.

VESTIAIRE

— C'est combien ?
— Deux cent dix francs.
— Vous acceptez les chèques ?
— Oui, vous avez une pièce d'identité ?

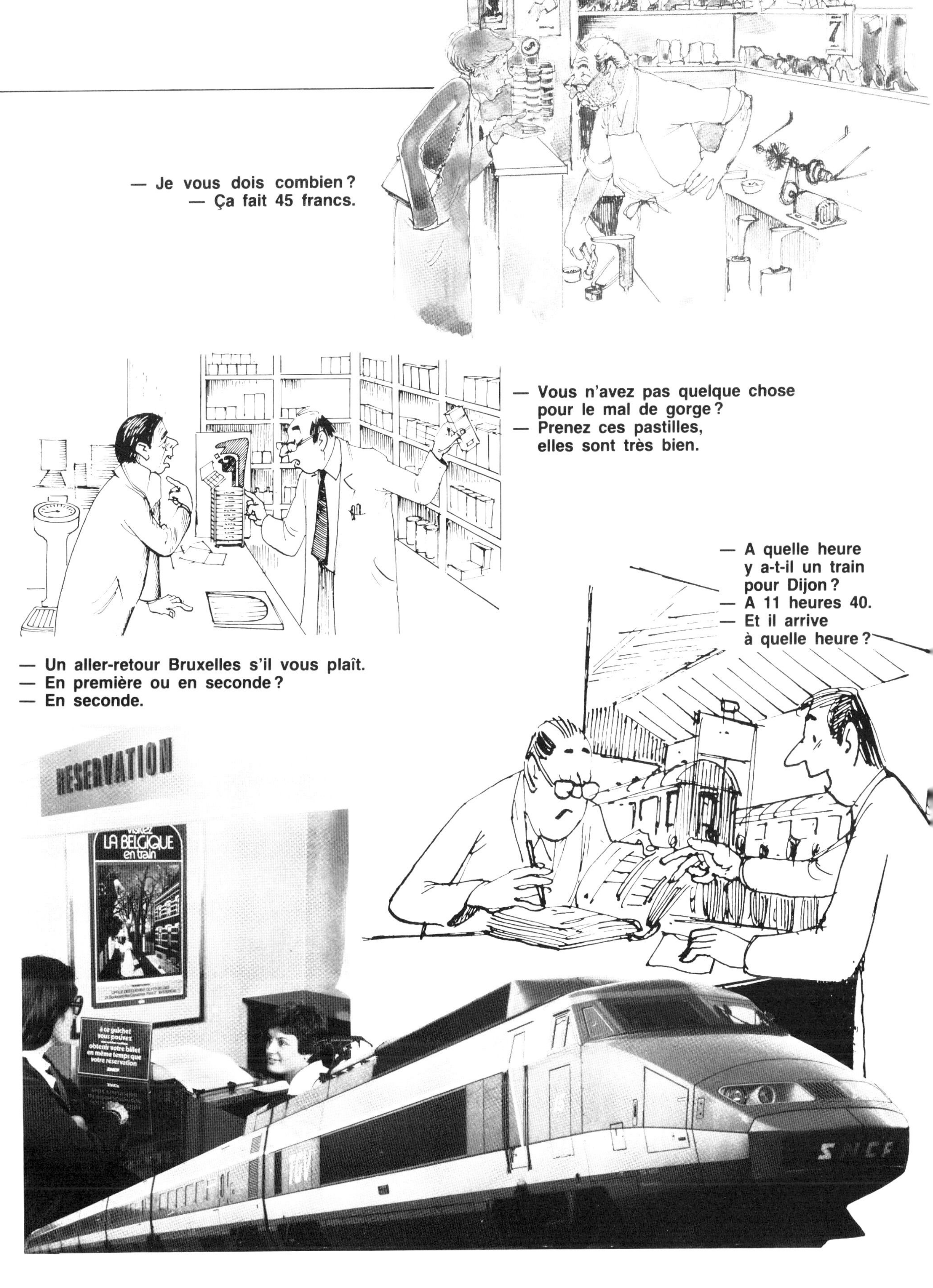
— Je vous dois combien?
— Ça fait 45 francs.
— Vous n'avez pas quelque chose pour le mal de gorge?
— Prenez ces pastilles, elles sont très bien.
— A quelle heure y a-t-il un train pour Dijon?
— A 11 heures 40.
— Et il arrive à quelle heure?
— Un aller-retour Bruxelles s'il vous plaît.
— En première ou en seconde?
— En seconde.
RESERVATION
Visitez LA BELGIQUE en train
à ce guichet vous pouvez obtenir votre billet en même temps que votre réservation
TGV
SNCF

à lire et à découvrir

ÉVÉNEMENTS

MONSIEUR LACAN A DISPARU

Madame Lacan: Regardez dans son bureau, tout est en place. Hier soir, il a dîné avec nous à vingt heures. Tout tranquillement. Nous avons bavardé comme chaque jour. Puis les enfants ont regardé la télévision. Et mon mari a dit: «Je sors un instant». Il a pris son imperméable, il a allumé une cigarette et il est sorti. Il n'est pas revenu. J'ai attendu toute la nuit.
Vous entendez, Monsieur: c'est affreux d'attendre comme ça, toute la nuit...!

LE RENDEZ-VOUS

Voyons: qu'est-ce qu'elle a dit? «neuf heures du soir sous l'horloge?» Oui. C'est ça. Elle a répété deux fois «sous l'horloge». Puis, elle m'a embrassé et elle est partie en courant.
Il est dix heures. Elle n'est pas venue. Elle a oublié? Elle a eu un accident? Que faire? Il fait froid sous l'horloge!

LA MÉTÉO

Écoute ça: «Il a plu sur la Normandie. Il a neigé en montagne. Une tempête a soufflé toute la nuit dans la région de Bordeaux. La Garonne a débordé. Les champs sont inondés, et...»

— Ah! Et bien, moi, j'ai très très bien dormi!

LES JOURS, LES MOIS ET LES SAISONS

1983 JANVIER 7 h 45 à 16 h 02	FÉVRIER 7 h 23 à 16 h 46	MARS 6 h 35 à 17 h 32	AVRIL 5 h 31 à 18 h 19	MAI 4 h 33 à 19 h 04	JUIN 1983 3 h 54 à 19 h 43
1 S **JOUR de l'AN**	1 M Se Ella	1 M S. Aubin	1 V S. Hugues	1 D **FÊTE du TRAV.**	1 M S. Justin
2 D **Epiphanie**	2 M *Présentation*	2 M S. Charles le B.	2 S Se Sandrine	2 L S. Boris	2 J Se Blandine
3 L Se Geneviève	3 J S. Blaise	3 J S. Guénolé	3 D **PAQUES**	3 M SS. Phil., Jacq.	3 V S. Kévin
4 M S. Odilon	4 V Se Véronique	4 V S. Casimir	4 L S. Isidore	4 M S. Sylvain	4 S Se Clothilde
5 M S. Edouard	5 S Se Agathe	5 S S. Olive	5 M Se Irène	5 J Se Judith	5 D **Fête-Dieu**
6 J S. Mélaine	6 D S. Gaston	6 D Se Colette	6 M S. Marcellin	6 V Se Prudence	6 L S. Norbert
7 V S. Raymond	7 L Se Eugénie	7 L Se Félicité	7 J S. J.B. de la S.	7 S Se Gisèle	7 M S. Gilbert
8 S S. Lucien	8 M Se Jacqueline	8 M S. Jean de D.	8 V Se Julie	8 D **Fête J. d'Arc**	8 M S. Médard
9 D Se Alix	9 M Se Apolline	9 M Se Françoise	9 S S. Gautier	9 L S. Pacôme	9 J Se Diane
10 L S. Guillaume	10 J S. Arnaud	10 J S. Vivien	10 D S. Fulbert	10 M Se Solange	10 V S. Landry
11 M S. Paulin	11 V *N. D. Lourdes*	11 V Se Rosine	11 L S. Stanislas	11 M Se Estelle	11 S S. Barnabé
12 M Se Tatiana	12 S S. Félix	12 S Se Justine	12 M S. Jules	12 J **ASCENSION**	12 D S. Guy
13 J Se Yvette	13 D Se Béatrice	13 D S. Rodrigue	13 M Se Ida	13 V Se Rolande	13 L S. Ant. de P.
14 V Se Nina	14 L S. Valentin	14 L Se Mathilde	14 J S. Maxime	14 S S. Matthias	14 M S. Elisée
15 S S. Remi	15 M **Mardi-Gras**	15 M Se Louise de M.	15 V S. Paterne	15 D Se Denise	15 M Se Germaine
16 D S. Marcel	16 M **Cemdres**	16 M Se Bénédicte	16 S S. Benoît-J.	16 L S. Honoré	16 J S. J.F. Régis
17 L Se Roseline	17 J S. Alexis	17 J S. Patrice	17 D S. Anicet	17 M S. Pascal	17 V S. Hervé
18 M Se Prisca	18 V Se Bernadette	18 V S. Cyrille	18 L S. Parfait	18 M S. Eric	18 S S. Léonce
19 M S. Marius	19 S S. Gabin	19 S S. Joseph	19 M Se Emma	19 J S. Yves	19 D S. Romuald
20 J S. Sébastien	20 D **Carême**	20 D S. Herbert	20 M Se Odette	20 V S. Bernardin	20 L S. Silvère
21 V Se Agnès	21 L S. P. Damien	21 L PRINTEMPS	21 J S. Anselme	21 S S. Constantin	21 M ÉTÉ
22 S S. Vincent	22 M Se Isabelle	22 M Se Léa	22 V S. Alexandre	22 D **PENTECÔTE**	22 M S. Alban
23 D S. Barnard	23 M S. Lazare	23 M S. Victorien	23 S S. Georges	23 L S. Didier	23 J Se Audrey
24 L S. Fr. de Sales	24 J S. Modeste	24 J Se Cath. de Su.	24 D **Jour du Souv.**	24 M S. Donatien	24 V S. Jean-Bapt.
25 M *Conv. S. Paul*	25 V S. Roméo	25 V **Annonciation**	25 L S. Marc	25 M Se Sophie	25 S S. Prosper
26 M Se Paule	26 S S. Nestor	26 S Se Larissa	26 M Se Alida	26 J S. Bérenger	26 D S. Anthelme
27 J Se Angèle	27 D Se Honorine	27 D **Rameaux**	27 M Se Zita	27 V S. Augustin	27 L S. Fernand
28 V S. Th. d'Aquin	28 L S. Romain	28 L S. Gontran	28 J Se Valérie	28 S S. Germain	28 M S. Irénée
29 S S. Gildas	Epacte 16 · Lettre dominic. B Cycle solaire 4 / Nbre d'or 8 Indiction romaine 6	29 M Se Gwladys	29 V Se Catherine	29 D **Fête des Mères**	29 M SS. Pierre, Paul
30 D Se Martine		30 M S. Amédée	30 S S. Robert	30 L S. Ferdinand	30 J S. Martial
31 L Se Marcelle		31 J S. Benjamin		31 M *Visitation*	Fonderie CASLON · Paris

FÊTES LÉGALES

Jour de l'An : Samedi 1er janvier 1983

Pâques : Dimanche 3 avril 1983
Lundi 4 avril 1983

Fête du travail : Dimanche 1er mai 1983

Ascension : Jeudi 12 mai 1983

Pentecôte : Dimanche 22 mai 1983
Lundi 23 mai 1983

Fête nationale : Jeudi 14 juillet 1983

Assomption : Lundi 15 août 1983

Toussaint : Mardi 1er novembre 1983

Armistice : Vendredi 11 novembre 1983

Noël : Dimanche 25 décembre 1983

L : Lundi
M : Mardi
M : Mercredi
J : Jeudi
V : Vendredi
S : Samedi
D : Dimanche

1983 JUILLET 3 h 53 à 19 h 56	AOUT 4 h 25 à 19 h 29	SEPTEMBRE 5 h 09 à 18 h 33	OCTOBRE 5 h 50 à 17 h 30	NOVEMBRE 6 h 38 à 16 h 30	DÉCEMBRE 1983 7 h 24 à 15 h 55
1 V S. Thierry	1 L S. Alphonse	1 J S. Gilles	1 S Se Th. de l'E. J.	1 M **TOUSSAINT**	1 J Se Florence
2 S S. Martinien	2 M S. Julien-Ey.	2 V Se Ingrid	2 D S. Léger	2 M **Défunts**	2 V Se Viviane
3 D S. Thomas	3 M Se Lydie	3 S S. Grégoire	3 L S. Gérard	3 J S. Hubert	3 S S. Xavier
4 L S. Florent	4 J S. J.M. Vian.	4 D Se Rosalie	4 M S. Fr. d'Assise	4 V S. Charles	4 D Se Barbara
5 M S. Antoine	5 V S. Abel	5 L Se Raïssa	5 M Se Fleur	5 S Se Sylvie	5 L S. Gérald
6 M Se Mariette	6 S *Transfiguration*	6 M S. Bertrand	6 J S. Bruno	6 D Se Bertille	6 M S. Nicolas
7 J S. Raoul	7 D S. Gaëtan	7 M Se Reine	7 V S. Serge	7 L Se Carine	7 M S. Ambroise
8 V S. Thibaut	8 L S. Dominique	8 J *Nativité N.D.*	8 S Se Pélagie	8 M S. Geoffroy	8 J *Imm. Concept.*
9 S Se Amandine	9 M S. Amour	9 V S. Alain	9 D S. Denis	9 M S. Théodore	9 V S. P. Fourier
10 D S. Ulrich	10 M S. Laurent	10 S Se Inès	10 L S. Ghislain	10 J S. Léon	10 S S. Romaric
11 L S. Benoît	11 J Se Claire	11 D S. Adelphe	11 M S. Firmin	11 V **ARMISTICE**	11 D S. Daniel
12 M S. Olivier	12 V Se Clarisse	12 L S. Apollinaire	12 M S. Wilfried	12 S S. Christian	12 L Se Jeanne F.C.
13 M SS. Henri, Joël	13 S S. Hippolyte	13 M S. Aimé	13 J S. Géraud	13 D S. Brice	13 M Se Lucie
14 J **FÊTE NATION.**	14 D S. Evrard	14 M *La Se Croix*	14 V S. Juste	14 L S. Sidoine	14 M Se Odile
15 V S. Donald	15 L **ASSOMPTION**	15 J S. Roland	15 S Se Th. d'Avila	15 M S. Albert	15 J Se Ninon
16 S *N.D. Mt-Carmel*	16 M S. Armel	16 V Se Edith	16 D Se Edwige	16 M Se Marguerite	16 V Se Alice
17 D Se Charlotte	17 M S. Hyacinthe	17 S S. Renaud	17 L S. Baudouin	17 J Se Elisabeth	17 S S. Gaël
18 L S. Frédéric	18 J Se Hélène	18 D Se Nadège	18 M S. Luc	18 V Se Aude	18 D S. Gatien
19 M S. Arsène	19 V S. Jean Eudes	19 L Se Emilie	19 M S. René	19 S S. Tanguy	19 L S. Urbain
20 M Se Marina	20 S S. Bernard	20 M S. Davy	20 J Se Adeline	20 D S. Edmond	20 M S. Abraham
21 J S. Victor	21 D S. Christophe	21 M S. Matthieu	21 V Se Céline	21 L *Prés. de Marie*	21 M S. Pierre C.
22 V Se Marie-Mad.	22 L S. Fabrice	22 J S. Maurice	22 S Se Elodie	22 M Se Cécile	22 J HIVER
23 S Se Brigitte	23 M Se Rose de L.	23 V AUTOMNE	23 D S. Jean de C.	23 M S. Clément	23 V S. Armand
24 D Se Christine	24 M S. Barthélemy	24 S Se Thècle	24 L S. Florentin	24 J Se Flora	24 S Se Adèle
25 L S. Jacques	25 J S. Louis	25 D S. Hermann	25 M S. Crépin	25 V Se Catherine L.	25 D **NOËL**
26 M SS. Anne, Joa.	26 V Se Natacha	26 L SS. Côme, Dam.	26 M S. Dimitri	26 S Se Delphine	26 L S. Etienne
27 M Se Nathalie	27 S Se Monique	27 M S. Vinc. de Paul	27 J Se Emeline	27 D **Avent**	27 M S. Jean
28 J S. Samson	28 D S. Augustin	28 M S. Venceslas	28 V SS. Sim., Jude	28 L S. Jacq. de la M.	28 M *SS. Innocents*
29 V Se Marthe	29 L Se Sabine	29 J S. Michel	29 S S. Narcisse	29 M S. Saturnin	29 J S. David
30 S Se Juliette	30 M S. Fiacre	30 V S. Jérôme	30 D S. Bienvenue	30 M S. André	30 V S. Roger
31 D S. Ignace de L.	31 M S. Aristide		31 L S. Quentin	Fonderie CASLON · Paris	31 S S. Sylvestre

LES SAISONS

Extraits du manuscrit :
Les Très Riches Heures du Duc de Berry.

LE PRINTEMPS

- mars
- avril
- mai

Au printemps, les Seigneurs se réunissaient dans les prés.

« Le temps a laissé son manteau
de vent, de froidure et de pluie
et s'est vêtu de broderies,
de soleil riant. clair et beau ».

Charles d'Orléans

L'ÉTÉ

- juin
- juillet
- août

En été, on faisait la moisson.

« Midi, roi des étés, épandu dans la plaine,
tombe en nappe d'argent des hauteurs du ciel bleu ».

Leconte de Lisle

L'AUTOMNE

- septembre
- octobre
- novembre

En automne, on labourait et ensuite on semait le blé.

« Les feuilles mortes se ramassent à la pelle
Les souvenirs et les regrets aussi... »

Jacques Prévert

L'HIVER

- décembre
- janvier
- février

En hiver, les femmes travaillaient à la maison en luttant contre le froid.

Noël

« Le ciel est noir
La terre est blanche
Cloches, carillonnez gaiement »

Noël populaire

pratique de la langue

SAVEZ-VOUS UTILISER LES POSSESSIFS ET LES DÉMONSTRATIFS ?

A QUI SONT CES OBJETS ?

A VOUS ET A MOI

Ce manteau est *à vous ?*............................Oui, c'est *mon* manteau, c'est *le mien.*
C'est *votre* manteau ?..............................Oui, il est à *moi.*

Cette veste est à vous ?............................Oui, c'est *ma* veste, c'est *la mienne.*
C'est *votre* veste ?..................................Elle est à *moi.*

Cet appareil est à *toi ?*............................Oui, c'est *mon* appareil, c'est le *mien.*
C'est *ton* appareil ?.................................Il est à *moi.*

Ces lunettes sont à *vous ?*.......................Oui, elles sont à moi, ce sont les *miennes.*
Ce sont *vos* lunettes ?.............................Mais non, ce sont les *vôtres.*

Ces gants sont à *toi ?*.............................Oui, ils sont à *moi,* ce sont les *miens.*
Ce sont *tes* gants ?................................Mais non, ce sont les *tiens.*

A ELLE ET A LUI

Ce briquet est à Hélène ?...........................Oui, c'est *son* briquet, c'est le *sien.*
Il est à *elle.*

Cette écharpe est à Pierre ?.......................Oui, c'est *son* écharpe, c'est la *sienne.*
Elle est à *lui.*

Cet argent est à Marc ?............................Oui, c'est *son* argent, c'est le *sien.*
Il est à *lui.*

Ces vêtements sont à Martine ?.................Oui, ce sont *ses* vêtements, ce sont les *siens.*
Ils sont à *elle.*

Ces chaussures sont à Jean-Pierre ?.........Oui, ce sont *ses* chaussures, ce sont les *siennes.*
Elles sont à *lui.*

EXERCICE 1

Voici différents modèles de phrases pour interroger sur l'appartenance :

- Il est à toi, ce stylo ?
- C'est ton stylo ?
- Ce stylo est à toi ?
- Ce stylo, c'est le tien ?

Reprenez chacune des questions ci-dessous en utilisant les trois autres modèles possibles.

— Elle est à toi, cette voiture ?

— Cet appareil de photos est à vous ?

— Ce sont vos cigarettes ?

— C'est votre briquet ?

— Ce stylo est à toi ?

— Ces lunettes, ce sont les vôtres ?

EXERCICE 2

Voici différents modèles de réponses négatives :

— *Il est à toi, ce sac ?*
- Non, il n'est pas à moi, il est à Hélène.
- Non, ce n'est pas mon sac, c'est le sac d'Hélène.
- Non, ce n'est pas le mien (c'est celui d'Hélène).

Répondez aux questions suivantes par la négative en utilisant les modèles possibles :

— Elle est à vous, cette serviette ?

— C'est ton portefeuille ?

— C'est votre valise ?

— Ce sont vos cigarettes ?

EXERCICE 3

Sur le modèle suivant, répondez aux questions ci-dessous, en variant les adjectifs :

— *C'est la voiture de Pierre ?*
  • Non, ce n'est pas sa voiture, celle-ci est verte, la sienne est gris foncé.
— C'est le sac d'Hélène ?
— C'est la serviette d'Arnaud ?
— C'est le portefeuille de Pierre ?
— C'est le foulard de Joëlle ?
— Ce sont les lunettes de Dominique ?

On dit : *Cet avion ou celui-ci (là)*
Cette rue ou celle-ci (là)
Ces livres ou ceux-ci (là)
Ces photos ou celles-ci (là)

APPRENEZ A FAIRE UNE DEMANDE

POUR OBTENIR QUELQUE CHOSE :

- Auriez-vous la monnaie de cent francs (vous n'auriez pas la monnaie de cent francs) ?
- Pouvez-vous me donner le sel (me passer le sel) ?
- Est-ce que je pourrais avoir le sel ?
- Vous n'auriez pas le numéro de téléphone de Pierre ?
- Vos papiers, s'il vous plaît.
- Pourriez-vous me prêter votre stylo ?
- Pourrais-je avoir de l'eau ?
- « Tu me files une sèche ? » (une cigarette).
- J'aimerais essayer le manteau de la vitrine.
- Deux places, s'il vous plaît.
- « T'as pas » une pièce de deux francs ?
- Tu me prêtes cent « balles » (cent francs) ?
- Il me faudrait... Il me faut...
- Est-ce que je peux vous demander une cigarette ?

POUR SAVOIR LE PRIX D'UN OBJET :

- Quel est le prix de ...
- Vous pouvez me donner le prix de ...
- C'est combien ?
- Je vous dois combien ?

Exercice

Dites à qui s'adressent ces différentes demandes et transformez chacune des phrases en changeant les rôles.

Exemple :

« Tu me files une sèche ? »
Vous n'avez pas une cigarette ?
Est-ce que je pourrais avoir une cigarette ?
Auriez-vous une cigarette, s'il vous plaît ?
Pourrais-je avoir une cigarette ?

APPRENEZ A ANALYSER LES SITUATIONS

On peut rapporter les actions exprimées par les phrases des dialogues à l'aide des *verbes* suivants :

Offrir/proposer quelque chose
Proposer de faire quelque chose
Chercher/trouver quelque chose
Commander quelque chose
Dire de faire quelque chose (donner un ordre)
Ordonner de faire quelque chose
Demander de faire quelque chose (donner un ordre)
Demander si (poser une question)

Voici des extraits de dialogues et des modèles de phrases les caractérisant :

1. Pour moi, une glace au chocolat, s'il vous plaît !
   - Il *commande* une glace au chocolat.
   - Il *demande* une glace au chocolat.
2. J'ai perdu mes lunettes, vous n'avez pas vu mes lunettes, Martine ?
   - Il *cherche* ses lunettes.
   - Il *demande* à Martine *si* elle a vu ses lunettes.
3. Hélène, vous fermez la fenêtre, s'il vous plaît ?
   - Il *demande* à Hélène *de* fermer la fenêtre.
4. Eliane, vous connaissez André ?
   - Il *demande* à Eliane *si* elle connaît André.
5. Une cigarette, Madame ?
   - Il *offre* une cigarette.
   - Il *propose* une cigarette à la dame.
   - Il lui *demande si* elle veut une cigarette.

Voici les formes de quelques verbes utiles à la troisième personne (il ou elle) :

Proposer : il (elle) propose
Chercher : il (elle) cherche
Commander : il (elle) commande
Ordonner : il (elle) ordonne
Demander : il (elle) demande
Fumer : il (elle) fume
Dire : il (elle) dit

Vouloir : il (elle) veut
Pouvoir : il (elle) peut
Savoir : il (elle) sait
Connaître : il (elle) connaît
Suivre : il (elle) suit
Ouvrir : il (elle) ouvre
Offrir : il (elle) offre

Vous pouvez remplacer les noms par les pronoms suivants :

Il demande *à Hélène* si elle a trouvé ses lunette
ou Il *lui* demande si elle a trouvé ses lunettes.

Il demande *à Pierre* d'ouvrir la porte.
ou Il *lui* demande d'ouvrir la porte.

Il ne trouve pas *ses lunettes.*
ou Il ne *les* trouve pas.

Il suit *l'agent* au commissariat.
ou Il *le* suit au commissariat.

Il porte *sa valise.*
ou Il *la* porte.

Il ouvre *sa valise.*
ou Il *l'*ouvre.

EXERCICE 1

Caractérisez les situations par une phrase.

Exemple :
— Hélène, tu veux une glace ?
   - Il (ou elle) propose une glace à Hélène.
   - Il lui propose une glace.

— Et si on allait au cinéma ?
— Pardon Monsieur, où est la gare, s'il vous plaît ?
— Je voudrais un steak bien cuit.
— Et pour moi, une côte de veau, s'il vous plaît.
— Monsieur, s'il vous plaît, l'addition.
— Où se trouve le téléphone, s'il vous plaît ?
— Vous avez une table pour deux personnes ?
— Vous n'auriez pas dix francs, s'il vous plaît ?
— Je peux ouvrir la fenêtre, Madame, ça ne vous dérange pas ?
— Vous pouvez prendre cette chaise.
— Vos papiers, s'il vous plaît ?
— Je ne les trouve pas, attendez un instant.
— Monsieur, s'il vous plaît, vous pouvez me prêter votre stylo ?
— Joëlle, tu n'as pas vu Eliane, tu ne sais pas où elle est ?
— Pierre, vous sortez avec moi ce soir ?
— Vous n'êtes pas Madame Durand ?
— Monique, vous fumez ?
— Suivez-moi au commissariat.
— Ouvrez votre valise.
— Je peux porter votre valise ?

EXERCICE 2

Analyse de la situation 3 : « Le steak de Janine ».

1. Reprenez le dialogue de la situation 3 et caractérisez par une ou deux phrases chacune des répliques :

   Exemple 1 : « Monsieur, s'il vous plaît ! » : elle appelle le serveur.
   Exemple 2 : « Comment, il n'est pas tendre ? » : elle est étonnée de la réponse du garçon, elle demande des explications.

2. Caractérisez par une ou deux phrases les attitudes du serveur et de la cliente. Vous pouvez choisir parmi les adjectifs suivants :

   Le serveur : sympathique, familier, décontracté, amical, distrait, moqueur, bienveillant, gentil, aimable.
   La cliente : impatiente, capricieuse, hautaine, méprisante, difficile, conciliante, exigeante, agressive.

3. Ecrivez un paragraphe qui résume toute la situation.

EXERCICE 3

Pouvez-vous analyser les situations représentées dans ces photos de films ?

Deux ou trois choses que je sais d'elle, un film de J.-L. Godard

Playtime, un film de J. Tati

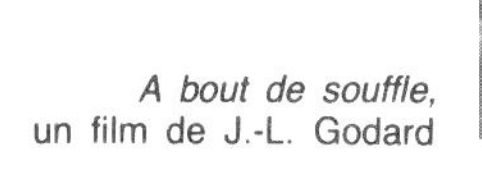
A bout de souffle, un film de J.-L. Godard

UN PEU DE GRAMMAIRE

Pour faire une demande ou donner un ordre
vous avez parfois besoin d'utiliser *deux pronoms personnels*

- Apprenez les pronoms personnels avec *l'Impératif*

Donne
Donnez

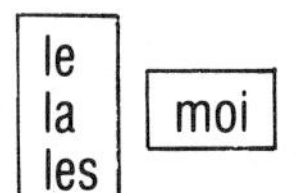

— Tu veux *mon stylo ?*
— Oui, prête-*le* moi.

— Je vous apporte *la carte ?*
— Oui, apportez-*la* moi.

— Vous voulez *mes papiers ?*
— Oui, montrez-*les* moi.

- Apprenez les pronoms personnels avec *l'Indicatif* (Présent ou Futur)

Vous
Tu

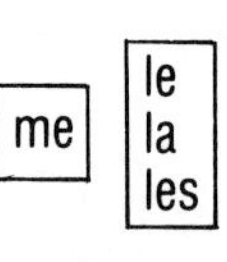

donnez, donnerez
donnes, donneras

— Tu *me* prêtes *ton stylo*? ou : tu *me le* prêtes ?
— Tu *me* donnes *ta photo*? ou : tu *me la* donnes ?
— Vous *me* montrez *vos papiers*? ou : vous *me les* montrez ?

Pour faire une promesse ou une proposition,
les pronoms personnels sont également nécessaires.

- Apprenez les pronoms personnels avec *l'Indicatif* (Présent ou Futur).

Je

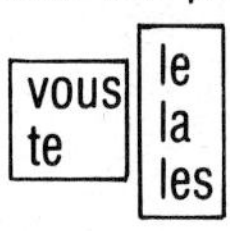

donne,
donnerai

— Tu me donnes ton stylo ?
— Non, je *te le* prête

— Vous m'avez apporté le livre ?
— Non, je *vous l'*apporte ce soir.

— Tu me rends mes photos ?
— Non, je *te les* rendrai demain.

- Apprenez les adjectifs et pronoms démonstratifs :

Vous prenez ce livre ? — Non, pas celui-ci (là), celui-là.
Vous prenez cette robe ? — Non, pas celle-ci (là), celle-là.
Vous prenez ces gants ? — Non, pas ceux-ci (là), ceux-là.
Vous prenez ces lunettes ? — Non, pas celles-ci (là), celles-là.

— Vous voulez voir *celui qui* est dans la vitrine ?
— Oui, montrez-le moi.

— Vous voulez voir *celle qui* a un col blanc ?
— Oui, montrez-la moi, s'il vous plaît.

— Ce sont (c'est) *ceux que* vous avez essayés ?
— Non, je n'ai pas essayé ces gants, montrez-les moi.

— Ce sont (c'est) *celles que* vous avez choisies ?
— Non, je n'ai pas encore choisi.

— Vous prenez celui-ci ?
— Non, je prends *celui de* la vitrine.

— Je vous donne celle-là ?
— Non, je voudrais *celle du* catalogue.

— Vous choisissez ces deux modèles ?
— Non, je prendrai *ceux de* l'année dernière.

— Quelles expositions voulez-vous voir ?
— Je voudrais voir *celles du* Grand Palais.

UN PEU DE STYLISTIQUE

Voici un extrait d'une chanson de Charles Trénet :

« J'ai ta main dans ma main
Je joue avec tes doigts
J'ai tes yeux dans mes yeux
Et partout l'on ne voit
Que la nuit, belle nuit
Que le ciel dans tes yeux... »

Trouvez des couples entre lesquels existent des liens profonds d'appartenance.

Exemples : Le peintre et son modèle.
Le maître et son valet.

Trouvez des associations de personnages ou d'éléments dans la littérature ou le folklore français et étranger.

Exemples : Le Rouge et le Noir (Stendhal)
Le Diable et le Bon Dieu (J.-P. Sartre).

pour aller plus loin

APPRENDRE A CHOISIR SON MENU

VOICI UN MENU GASTRONOMIQUE
Lameloise 5 mars 1980

Salade de Haricots Verts
aux Queues d'Ecrevisses

Terrine de Coquilles Saint-Jacques

Aiguillettes de Canard aux Navets Confits

Fromages

Mousse de Citron et sa Crème de Pistache

Sorbets aux Fruits Frais

Lameloise

Bourgogne Aligoté 1979
Meursault-Charmes 1976
Volnay les Angles 1976
Gevrey-Chambertin 1971

UN MENU D'AIR FRANCE
Vol Manille-Paris

AIR FRANCE
MANILLE—PARIS
✷
BOEING JET INTERCONTINENTAL 747
✷

MANILLE – BANGKOK
DINER
✷
CREVETTE BOUQUET SAUCE COCKTAIL
Shrimps Bouquet cocktail sauce
POULET SAUTÉ CHASSEUR
Sauteed chicken « chasseur »
PETITS POIS À LA FRANCAISE
Green peas French style
SALADE COMPOSÉE
Mixed salad
FROMAGE
Cheese
FRUIT RAFRAÎCHIS
Fresh fruits
✷

BANGKOK – BOMBAY
DINER
✷
OEUF POCHÉ EN ASPIC
Poched egg
TOURNEDOS SAUTE SAUCE POIVRADE
Sauteed fillet mignon in « poivrade » sauce
HARICOTS VERTS AU BEURRE
Buttered French beans
SALADE COMPOSÉE
Mixed salad
FROMAGE
Cheese
TARTELETTE AUX FRUITS
Fruit tartlet
✷

BOMBAY – TÉHÉRAN
COLLATION FROIDE
COLD SNACK
✷
TÉHÉRAN – PARIS
PETIT DÉJEUNER
BREAKFAST
✷
COCKTAIL DE FRUITS
Fruit cocktail
OMELETTE GARNIE
Omelet
CAFÉ - THÉ - CHOCOLAT
Coffee - tea - hot chocolate
CROISSANT-BUN
Crescent roll-Bun
CONFITURES
Jam
FROMAGE
Cheese
✷
CAFÉ DE COLOMBIE
Columbian coffee
✷

Pour les boissons alcoolisées dont le service n'est pas gratuit en classe Economique, et pour les autres produits mis en vente à bord, nous vous prions de vous reporter au tarif mis à votre disposition.

UN EXEMPLE DE CARTE DE RESTAURANT FRANÇAIS

Voici un exemple de carte de restaurant français :

Hors d'œuvres

Carottes rapées
Crudités
Œuf dur mayonnaise
Harengs à l'huile
Pâté de campagne
Saucisson
Radis beurre
Escargots de Bourgogne
Salade verte

Poissons

Sole meunière
Truite aux amandes
Daurade au four
Bouillabaisse
Saumon fumé
Saumon à la sauce tartare

Viandes

Steak pommes frites
Rosbif pommes sautées
Escalope à la crème
Côtes de mouton grillées
Rôti de porc aux lentilles
Blanquette de veau
Ragoût de mouton
Pot-au-feu
Coq-au-vin
Poulet rôti
Gigot haricots verts

Fromages

Camembert
Chèvre
Gruyère
Brie
Roquefort

Desserts

Tarte aux pommes
Gâteau du chef
Crème caramel
Soufflé au Grand Marnier
Compote de pommes

Eaux minérales

Vittel
Vichy
Evian
Périer

Vins

Bourgogne

Pommard
Meursault
Côte de Beaune

Bordeaux

Saint-Emilion
Saint-Estèphe
Château-Lafitte
Médoc

Divers

Beaujolais
Côtes-du-Rhône
Rosé de Provence
Réserve du Patron
1/4 vin rouge
1/4 vin rosé ou blanc

En choisissant dans cette liste, composez trois menus différents :

- Un menu touristique (un repas moyen, ordinaire).
- Un menu gastronomique (un repas de fête).
- Un menu diététique (un repas de régime).

APPRENDRE A CHOISIR SON TRAIN

En utilisant l'horaire du TGV[1] Paris-Lyon-Saint-Etienne préparez :

1. Le voyage d'un homme d'affaires (aller et retour dans la journée) entre Paris et Lyon.
2. Un week-end (sans supplément) entre Saint-Etienne et Paris.
3. Un séjour de ski à Grenoble (départ de Paris).

1. TGV : Train à Grande Vitesse ; mis en circulation en 1982.

PARIS-LYON-ST-ETIENNE

SEMAINE TYPE*

N° du TGV		603	607	611-701/0	613	617	621	653	625-703/2
Restauration		▣	▣	▣		▣	▣	▣	▣
Paris-Gare de Lyon	D	6.15	7.15	8.15	9.15	11.15	12.15	12.55	13.15
Le Creusot TGV	A		9.22				14.14		
Lyon-Brotteaux ◖	A	8.55	10.08	10.55	11.55	14.03	15.00	15.43	15.55
Lyon-Perrache ◖	A	9.05	10.18	11.05	12.05	14.13	15.10	15.56	16.05
Saint-Etienne	A	a		11.41	b	b			16.41
Grenoble				b	a	a			b
Lundi		★	★	○	○	★	○		★
Mardi		★	★	○	○	★	○		★
Mercredi		★	★	○	○	★	○		★
Jeudi		★	★	○	○	★	○		★
Vendredi		★	★	○	○	★	○	○	★
Samedi			○	★	○		○		★
Dimanche			○		★	○			○

N° du TGV		627	631	655	635	659	639-705/4	661	643	647	649
Restauration							▣	▣	▣		
Paris-Gare de Lyon	D	14.15	16.15	16.35	17.15	17.50	18.15	18.42	19.20	20.15	21.15
Le Creusot TGV	A						20.14				
Lyon-Brotteaux ◖	A	16.55	18.55	19.15	20.03	20.38	21.00	21.30	22.08	22.55	23.55
Lyon-Perrache ◖	A	17.07	19.05		20.13		21.10	21.40	22.18	23.05	0.05
Saint-Etienne	A	b	b		a		21.46			a	
Grenoble		a			a		a		b		
Lundi		○	○		★		★		○	○	
Mardi		○	○		★		★		○	○	
Mercredi		○	○		★		★		○	○	
Jeudi		○	○		★		★		○	○	
Vendredi		○	○	★	★	★	★	★	★	○	○
Samedi		○	○		○		○		○		
Dimanche		○	○		★		★		★	○	

ST-ETIENNE-LYON-PARIS

SEMAINE TYPE*

N° du TGV		602	604	711/606	711/608	652	610	616	618
Restauration			▣	▣	▣	▣		▣	▣
Grenoble				b	b		b	b	
Saint-Etienne	D	b	a	7.12	7.12		a	a	a
Lyon-Perrache ◗	D	5.50	6.50	7.50	7.50	8.00	8.50	10.50	11.50
Lyon-Brotteaux ◗	D	6.00	7.00	8.00	8.00	8.10	9.00	11.00	12.00
Mâcon TGV ◗	D	6.26**							
Le Creusot TGV	D	6.48		8.43				11.42	
Paris-Gare de Lyon	A	8.52	9.42	10.52	10.42	10.52	11.40	13.47	14.40
Lundi		★	★		★	★	○	★	○
Mardi		★	★		○		○	★	○
Mercredi		★	★		○		○	★	○
Jeudi		★	★		○		○	★	○
Vendredi		★	★		○		○	○	○
Samedi			○	○			○	○	○
Dimanche				○			★	○	○

N° du TGV		713/622	624	626	654	628	632	715/638	640	644
Restauration							▣	▣	▣	
Grenoble		a	b				a		b	a
Saint-Etienne	D	13.12	a	a		b	a	18.12	b	a
Lyon-Perrache ◗	D	13.50	14.50	15.50	16.32	16.50	17.50	18.50	19.50	20.50
Lyon-Brotteaux ◗	D	14.00	15.00	16.00	16.42	17.00	18.00	19.00	20.00	21.00
Mâcon TGV ◗	D									
Le Creusot TGV	D					17.42				
Paris-Gare de Lyon	A	16.42	17.42	18.40	19.32	19.47	20.42	21.42	22.50	23.40
Lundi		○	○	○		○	★	★	○	
Mardi		○	○	○		○	★	★	○	
Mercredi		○	○	○		○	★	★	○	
Jeudi		○	○	○		○	★	★	○	
Vendredi		★	○	○	★	★	★	★	○	
Samedi		○	○			○	○	○	○	
Dimanche			○	○		★	★	★	★	○

○ TGV sans supplément.
★ TGV avec supplément.
A Arrivée.
D Départ.

◖ Arrêt pour laisser des voyageurs sans en prendre.
◗ Arrêt pour prendre des voyageurs sans en laisser.

a Correspondance à Perrache.
b Correspondance à Brotteaux.
▣ Service restauration à la place en 1re classe, en réservation.

* Sauf les jours particuliers : en 1981 : 30, 31 octobre ; 7, 8 novembre ; 19, 22, 23, 24, 25, 26, 27, 31 décembre. en 1982 : 1er, 2, 3, 4, 5 janvier ; 5, 6, 13, 14 février ; 26, 27, 30 mars ; 10, 11, 12, 13, 14 avril ; 14, 15, 19, 20 mai.

** Ne prend des voyageurs que pour Paris et assure la correspondance de Villefranche-sur-Saône par autocar.

textes

CANEVAS DE JEUX DE RÔLES

CANEVAS 1

A un guichet d'Air France. Une personne réserve une place d'avion.

— Elle demande une place pour une certaine date.
— L'employée demande d'attendre et elle consulte l'ordinateur. Elle annonce qu'il n'y a pas de place sur ce vol.
— Le client demande quand il y a de la place.
— L'employée (impatiente) lui répond qu'il doit proposer une date.
— Le client hésite et propose une autre date.
— L'employée parle à sa collègue et n'écoute pas.
— Le client s'énerve et insiste pour attirer l'attention.
— L'employée lui demande ce qu'il a décidé.
— Le client répond.

CANEVAS 2

Un homme achète un foulard pour une femme :

— La vendeuse demande comment est la femme.
— Le client répond.
— La vendeuse conseille la couleur et le dessin d'après la description de la femme.

CANEVAS 3

Au restaurant un client appelle le serveur.

— Il commande une boisson et un steak.
— Le garçon demande comment il veut son steak.
— Le client répond bien cuit.
— Cinq minutes après, le client attend toujours. Il appelle le garçon et réclame la boisson.
— Le garçon répond, un peu énervé.
— Cinq minutes plus tard, le steak arrive. Le client n'est pas content. Le steak n'est pas assez cuit.
— Le garçon répond avec insolence (agressivité).

CANEVAS 4

A la sortie d'un parking, le gardien réclame le ticket.

— L'automobiliste cherche son ticket et ne le trouve pas.
— Le gardien réclame le prix de la journée entière.
— Le client demande combien ça fait.
— Le gardien répond.
— Le client proteste.
— Le gardien ne veut pas ouvrir la barrière.

CANEVAS 5

Un enfant réclame son argent de poche à ses parents.

— La mère donne l'argent de la semaine.
— L'enfant demande plus, en faisant du charme.
— La mère, attendrie, demande ce qu'il veut faire de l'argent.
— L'enfant répond.
— La mère réagit à sa façon.

ACTIVITÉ
DE PRODUCTION LIBRE

« LES FÊTES ET LES SAISONS »

QUESTIONNAIRE

1. Quelle est la fête *collective* que vous préférez ? Et pourquoi ?
2. Comment la fêtez-vous ?
   Qu'est-ce que vous aimez dans la célébration de cette fête ?
3. Quelle est la fête *individuelle* ou *familiale* que vous préférez ?
   Et pourquoi ?
4. Comment la fêtez-vous ?
5. Existe-t-il des fêtes que vous détestez ?
   Lesquelles ?
   Pourquoi ?
6. Si vous n'aimez pas du tout les fêtes, dites pourquoi.
7. Quelle est votre saison préférée ?

EXERCICES A CHOIX MULTIPLES

Voici trois phrases. Une seule correspond à la situation. Dites si c'est la première, la deuxième ou la troisième.

SITUATION 2
LE TRAIN DE SAINT-MALO

1. Le voyageur demande l'horaire des trains pour Saint-Malo.
   Le voyageur demande si le train est direct pour Saint-Malo.
   Le voyageur cherche le train pour Saint-Malo.
2. Le voyageur veut voyager de nuit.
   Le voyageur veut voyager le matin.
   Le voyageur veut voyager l'après-midi.
3. Le train arrive à midi et quart à Saint-Malo.
   Il y a un changement de train à midi et quart.
   Le train part de Paris à midi et quart.
4. Le voyageur ne sait pas où il veut aller.
   Il n'est pas sûr de voyager en première.
   Il ne veut pas voyager en seconde.
5. Le voyageur n'a pas d'argent.
   Le voyageur paye par chèque.
   Le voyageur n'a pas de monnaie.

SITUATION 3
LE STEAK DE JANINE

1. La cliente a choisi un steak-frites.
   La cliente veut un filet.
   La cliente demande un rôti de bœuf.
2. Le garçon lui conseille le steak-frites.
   Le garçon lui conseille le filet.
   Le garçon lui dit de prendre un poisson.
3. Le steak n'est pas tendre.
   Le filet n'est pas tendre.
   Le porc n'est pas tendre.
4. Le porc n'est pas fameux.
   Le filet n'est pas fameux.
   Le veau n'est pas fameux.
5. Le veau coûte soixante francs.
   Le porc coûte soixante francs.
   Le filet coûte soixante francs.
6. Elle ne prend pas le porc parce qu'il est trop cher.
   Elle ne prend pas le porc parce qu'il n'est pas fameux.
   Elle ne prend pas le porc parce qu'il n'y en a plus.
7. Janine prend un poisson.
   Janine ne prend pas de poisson.
   Janine ne boit rien.

SITUATION 5
J'AI PERDU MON TICKET

1. Le cordonnier a perdu les chaussures d'une cliente.
   La cliente a perdu son ticket de réparation.
   Le cordonnier dit à la cliente qu'il ne la connaît pas.
2. Le cordonnier est très aimable.
   Le cordonnier se met en colère.
   Le cordonnier reste calme.
3. Le lendemain, la cliente s'excuse.
   La cliente est très désagréable quand elle revient.
   La cliente remercie le cordonnier.
4. Le cordonnier n'a pas réparé les chaussures.
   Le cordonnier n'a pas cherché les chaussures.
   Le cordonnier a ouvert tous ses sacs.
5. Le cordonnier n'a pas retrouvé les chaussures de la cliente.
   Il les a retrouvées.
   Il montre une autre paire de chaussures à la cliente.
6. La cliente trouve les chaussures mal réparées.
   La cliente trouve les chaussures bien réparées.
   La cliente fait des excuses.

SITUATION 6
LES MOCASSINS

1. Le client voudrait des chaussures marron.
   Le client voudrait des chaussures noires.
   Le client voudrait des bottes.
2. Les mocassins coûtent quarante-trois francs.
   43, c'est la pointure du client.
   Le client ne connaît pas sa pointure.
3. La vendeuse lui apporte les mocassins de la vitrine.
   La vendeuse lui apporte un modèle différent.
   La vendeuse lui apporte la pointure 42.
4. Les mocassins lui plaisent mais il les trouve trop chers.
   Les mocassins lui plaisent mais il les trouve trop petits.
   Les mocassins ne lui plaisent pas.
5. Il achète des mocassins.
   Il dit qu'il va revenir.
   Il dit qu'il va réfléchir.

TEXTES DES DIALOGUES

SITUATION 1
A L'ENTR'ACTE

Dans un cinéma.

Voix de l'ouvreuse : Bonbons, esquimaux, chocolats glacés...

Le jeune homme : Madame, s'il vous plaît !
L'ouvreuse : Vous désirez ?
Le jeune homme : Qu'est-ce que vous avez ?
L'ouvreuse : J'ai vanille-fraise, vanille-chocolat, café, praliné.
Le jeune homme : Qu'est-ce que tu veux, toi ?
La jeune fille : Moi, une vanille-fraise.
Le jeune homme : Vous avez vanille-café ?
L'ouvreuse : Non.
Le jeune homme : Alors, vanille-chocolat pour moi.
L'ouvreuse : Voilà.
Le jeune homme : Merci, ça fait combien ?
L'ouvreuse : Quinze francs.

Voix de l'ouvreuse : Bonbons, caramels, chocolats glacés...

SITUATION 2
LE TRAIN DE SAINT-MALO

Dans un hall de gare, au guichet des renseignements.

Le voyageur : Vous avez l'horaire des trains pour Saint-Malo.
L'employé : Il est derrière vous.
Le voyageur : Il n'y a pas de train, le matin ?
L'employé : Si, regardez. Vous avez un train à huit heures. Correspondance à Rennes à douze heures quinze. Vous arrivez à treize heures.
Le voyageur : Quel est le prix en première et en seconde ?
L'employé : En première classe, c'est deux cent cinquante francs, en seconde deux cent dix francs.
Le voyageur : Vous me prêtez votre stylo, s'il vous plaît ?
L'employé : Tenez !

Dans le hall de gare, au guichet des billets

Le voyageur : Un aller Saint-Malo, s'il vous plaît.
L'employé : Première ou seconde ?
Le voyageur : Seconde.
L'employé : Vous n'avez pas dix francs ?
Le voyageur : Non, je regrette, je n'ai pas de monnaie. J'ai seulement trois billets de cent francs.

SITUATION 3
LE STEAK DE JANINE

Au restaurant.

Janine: Monsieur, s'il vous plaît.

Le garçon: Vous avez choisi, Madame?

Janine: Oui, je voudrais un steak-frites.

Le garçon: Ne prenez pas le steak, il n'est pas tendre.

Janine: Comment, il n'est pas tendre?

Le garçon: Ecoutez, moi, je ne vous conseille pas le steak. Prenez un filet.

Janine: A soixante francs, merci! Moi, je ne suis pas une touriste, je voudrais un steak-frites tout simplement.

Le garçon: Comme vous voudrez, Madame. C'est pour vous, « hein »!

Janine: Je vous remercie. Alors, donnez-moi un rôti de veau avec des petits pois.

Le garçon: Euh, c'est que... il n'est pas fameux, le veau.

Janine: Pas fameux?

Le garçon: Non, pas fameux!

Janine: Et le porc, il est comment?

Le garçon: Ah, le porc, il était bon, mais... « y'en a » plus!

Janine: Bon, « ben », je prendrai un poisson, une sole.

Le garçon: Et qu'est-ce que vous voulez comme boisson?

Janine: Un quart de blanc, s'il vous plaît.

SITUATION 4
AU VESTIAIRE

Dans un hall de théâtre.

La dame: Vous me donnez votre numéro, s'il vous plaît.

Le client: Tenez, Madame.

La dame: Voilà vos affaires, il y a autre chose?

Le client: Oui, un appareil de photos.

La dame: Le voilà.

Le client: Mais ce n'est pas mon manteau!

La dame: Mais Monsieur, c'est votre numéro!

Le client: Ce n'est pas possible, le mien est gris foncé.

La dame: Monsieur, c'est votre numéro!

Le client: Oui, c'est mon numéro, mais ce n'est pas mon manteau.

La dame: Je vais regarder le numéro d'à côté. Ce manteau, c'est le vôtre?

Le client: Mais oui, c'est le mien.

La dame: Excusez-moi, je me suis trompée.

Le client: Je vous en prie!

SITUATION 5
J'AI PERDU MON TICKET

Dans un atelier de cordonnier.

Le cordonnier: Bonjour, Madame. Qu'est-ce que c'est pour vous?

La cliente: Je viens chercher mes chaussures, mais j'ai perdu mon ticket.

Le cordonnier: Vous avez perdu votre ticket! Mais qu'est-ce que je vais faire, moi!

La cliente: Je suis venue lundi.

Le cordonnier: Oh « ben », pour moi lundi, mardi, mercredi, c'est la même chose! Le même travail!

La cliente: Je suis désolée.

Le cordonnier: Vous êtes désolée, vous êtes désolée, et moi alors? Je ne vais pas ouvrir tous mes sacs. Mais vous avez bien cherché votre ticket?

La cliente: Mais oui, il était dans ma poche... Alors qu'est-ce qu'on fait?

Le cordonnier: Vous pouvez repasser demain. Mais ça vous fera cinq francs de plus!

Le lendemain

La cliente: Je vous dois combien, Monsieur?

Le cordonnier: Eh bien, soixante plus cinq francs, ça fait soixante-cinq francs.

La cliente: Mais j'ai mon ticket!

Le cordonnier: « Ben » oui, aujourd'hui, mais pas hier! Et j'ai ouvert tous mes paquets.

La cliente: Le talon est mal réparé.

Le cordonnier: Je répare vos chaussures, vous perdez votre ticket, j'ouvre tous mes sacs, je retrouve vos chaussures et vous n'êtes pas contente!

La cliente: Oui, mais pour soixante cinq francs...

Le cordonnier: Ah, vous trouvez que c'est cher!

La cliente: Un peu, oui...

Le cordonnier: Ah « ben » vous savez, il y a d'autres cordonniers!

La cliente: Heureusement! Au revoir Monsieur!

Le cordonnier: « Salut », Madame!

SITUATION 6
LES MOCASSINS

Dans un magasin de chaussures.

Le client: Je voudrais les mocassins qui sont dans la vitrine, à gauche, à côté des bottes noires.
La vendeuse: Lesquels, les marron?
Le client: Non, les noirs. Je voudrais des mocassins noirs.
La vendeuse: Quelle pointure faites-vous?
Le client: 43
La vendeuse: Je vais voir. Asseyez-vous.

La vendeuse: Voilà, j'ai un autre modèle en noir.
Le client: Mais ce ne sont pas ceux de la vitrine.
La vendeuse: Ceux de la vitrine, je les ai en 42 seulement.
Le client: Qu'est-ce que vous avez dans ma pointure?
La vendeuse: J'ai ce modèle en noir. Ils vous plaisent?
Le client: Oui, ils me plaisent assez, mais ils me serrent un peu.
La vendeuse: Vous savez, ils vont s'élargir.
Le client: Oh!! Je vais réfléchir. Merci, Madame.

SITUATION 8
J'AI MAL A LA GORGE

Dans une pharmacie.

Le pharmacien: Monsieur...?
Le client: J'ai mal à la gorge, qu'est-ce que je peux prendre?
Le pharmacien: Vous pouvez prendre des pastilles.
Le client: Vous n'avez pas un antibiotique?
Le pharmacien: Si, mais il faut une ordonnance Monsieur.
Le client: Alors, donnez-moi des pastilles. Vous n'auriez pas aussi quelque chose pour la toux?
Le pharmacien: Tenez, j'ai un très bon sirop. Vous prenez une cuillerée à soupe avant chaque repas.
Le client: Merci. Je vais prendre aussi de la vitamine C; je suis très fatigué.
Le pharmacien: Quelle marque?
Le client: Ça m'est égal.
Le pharmacien: Vous voulez autre chose?
Le client: Non c'est tout. Merci. Je vous dois combien?
Le pharmacien: Quarante-huit francs trente, s'il vous plaît.

SITUATION 7
A LA CAISSE

Dans un grand magasin.

La caissière: Quatre cent soixante francs cinquante centimes. Vous payez par chèque ou en espèces?
La cliente: En travellers-chèques.
La caissière: Vous avez une pièce d'identité?
La cliente: Oui, j'ai ma carte de séjour.
La caissière: Non, Madame, ce n'est pas valable. Il me faut votre passeport.
La cliente: Le voilà, mon passeport.
La caissière: Je regrette Madame, il est périmé. Regardez! «Expire le 31 octobre 1982»; et nous sommes le 15 novembre. Je ne peux pas accepter.
La cliente: Mais Madame, tournez la page, vous verrez qu'il est prolongé jusqu'au 31 octobre 1987.
La caissière: Ah oui, vous avez raison, excusez-moi.

SITUATION 9
LE PARFUM

Dans une parfumerie.

La vendeuse: Bonjour, Monsieur.
Le client: Bonjour, Madame. Je voudrais un parfum.
La vendeuse: C'est pour vous, Monsieur?
Le client: Non, c'est pour offrir.
La vendeuse: C'est pour une dame?
Le client: Oui, c'est une jeune femme. Elle est blonde, un peu rousse.
La vendeuse: Vous aimeriez un parfum frais?
Le client: Je ne sais pas.
La vendeuse: Elle est sportive?
Le client: Oui, assez.
La vendeuse: Je vais vous faire sentir «Femme» de Rochas.
Le client: Oui, «c'est pas mal», il coûte combien?
La vendeuse: En parfum ou en eau de toilette?
Le client: En parfum.
La vendeuse: En parfum, c'est quatre cents francs.
Le client: Vous n'avez rien de moins cher?
La vendeuse: J'ai l'eau de toilette. Elle coûte cent quatre vingt francs.
Le client: J'hésite un peu. Qu'est-ce que vous me conseillez?
La vendeuse: Vous savez, Monsieur, le parfum, ça fait très plaisir.
Le client: Bon, eh bien, je prends le parfum.
La vendeuse: Je vous fais un paquet-cadeau?
Le client: Oui, s'il vous plaît.

unité
5

Combien en voulez-vous?

ambiance

situations

— Je vous fais le plein?
— Non, donnez-moi cent francs de super.

— Comme dessert, il y a de la tarte et des fruits.
— Vous n'avez pas de mousse au chocolat?

— Un timbre et un paquet de gitanes, s'il vous plaît.
— Avec ou sans filtres?

— Qu'est-ce que tu vas faire, l'an prochain ?
— Du droit et des langues.
— Qu'est-ce qu'il y a ce soir à la « télé » ?
— Sur la « deux » il y a du patin à glace et de la guitare.

à lire et à découvrir

EN VOULEZ-VOUS ENCORE ?

— Vous prendrez encore un peu de vin ?
— Oui, volontiers.
— Comme ça, ça suffit ?
— Oui, merci beaucoup.

— Encore un peu de gâteau ?
— Non, merci.
— Mais si, prenez-en encore un peu !

— Je vous sers un peu de vin ?
— Non, merci, il est excellent, mais...
— Vous savez, c'est une bonne année.
— Oh alors, j'en veux bien un petit peu.

— Non, je vous assure...
— Mais c'est très léger !
— Oui, mais...

— Moi, j'en prendrais bien un peu plus.
— Oh ! excusez-moi, je n'avais pas vu que votre verre était vide.

— Mais vous n'aimez pas ça ?
— Si, si, c'est délicieux !
— Vous n'en avez pas repris ?
— Non, mais...

— Je vous en redonne quand-même un peu.
— Oh mais, je n'ai vraiment plus faim !

— Je reprendrais bien un peu de potage. Il est délicieux !

Delphine Seyrig dans *Le charme discret de la bourgeoisie*, un film de Luis Buñuel

pratique de la langue

APPRENDRE A EXPRIMER LA QUANTITÉ

VOUS VOULEZ MENTIONNER UNE CERTAINE QUANTITÉ OU DÉSIGNER UNE PARTIE D'UN OBJET (OBJET CONCRET OU ABSTRAIT)

Du fromage	De la viande	De l' amour
Du pain	De la chance	De l' eau
Du vin	De la musique	De l' espoir
Du sport		

VOUS VOULEZ MENTIONNER UN CERTAIN NOMBRE D'OBJETS (QU'ON PEUT COMPTER, QUI SONT DIFFÉRENTS, DISTINCTS):

Des fromages
Des pains
Des vins
Des eaux
Des chances

VOUS VOULEZ APPRÉCIER UNE QUANTITÉ:

Un peu de fromage
Un peu d'espoir

Quelques fromages (différents)
Quelques ennuis

Beaucoup de vin
Beaucoup d'amour

Beaucoup de vins (différents)
Beaucoup d'ennuis

VOUS VOULEZ PRÉCISER CETTE QUANTITÉ:

Un verre de lait
Une bouteille d'eau
Trois kilos d'oranges

EXERCICE 1

Modèle

— Qu'est-ce que vous prenez comme boisson? Du vin, de la bière, de l'eau minérale?
— Du vin.
— Rouge ou rosé?
— Vous avez du Beaujolais?
— Je n'ai pas de Beaujolais, j'ai du Côtes-du-Rhône.
— Bien, un Côtes-du-Rhône.

Construisez un dialogue sur ce modèle en utilisant les mots suivants:

Hors-d'œuvre :
(La) salade de tomates. (Les) radis. (Les) carottes râpées.
(Le) pâté de campagne. (Les) harengs à l'huile.

Plats garnis:
(La) blanquette. (Le) rôti de veau. (L')agneau rôti.
(Le) brochet au beurre blanc. (La) daurade grillée.

Desserts:
(La) crème caramel. (La) mousse au chocolat. (La) tarte aux pommes. (Le) gâteau aux amandes. (Les) fruits.

EXERCICE 2

Modèle

— Qu'est-ce qu'il y a comme dessert, « y a » de la glace?
— Non, « y en a pas » aujourd'hui, « y a » du fromage et des fruits.
— « J'en veux pas ». « Y a pas » de gâteau?
— Non, tu n'as qu'à manger du fromage.
— Du fromage, je n'en veux pas, on en mange tout le temps.
— « Y a » des fruits, tu en veux?
— Non, « je veux pas » de fruits, je veux de la glace.
— Je ne peux pas t'en donner, puisqu'il n'y en a pas!

Transposez ce dialogue, en choisissant à partir des séries suivantes:

Au bar ou dans un magasin:

- Les fromages : le camembert, le gruyère, le roquefort, le chèvre.
- Les apéritifs: le Dubonnet, le Martini, le Whisky, le Porto, le Pernod, la Suze.
- Les tisanes: le tilleul, la menthe, la verveine, le thé, la camomille.

Note: Pour la demande, soit au bar, soit dans un magasin, vous pouvez dire aussi:
Il n'y a pas de...?
Vous n'avez pas de...?

EXERCICE 3

Et maintenant pouvez-vous répondre à ces questions?

— Vous voulez combien de bouteilles de lait?
— Vous voulez du lait écrémé ou du lait entier?
— Il reste de l'huile d'olive?
— Comment? Il n'y a pas assez de papier?
— Tu dis qu'il n'y a plus de pain?
— Vous ne trouvez pas qu'il y a trop de violence à la « télé »?
— Des piles? Je vous en donne combien?
— Il y a beaucoup de chômeurs chez les jeunes, dans votre pays?
— Vous aimez le chocolat au lait? Vous en voulez?

EXERCICE 4

En observant ces photos, dites ce qu'on peut faire (acheter, boire, suivre un cours, etc.) dans ces différents endroits.

UN PEU DE GRAMMAIRE

REMARQUEZ :

Il y a *beaucoup de* monde, il y a *plein de* monde.
Il y a *assez de* chocolat, ça suffit.
Il y a *trop de* pain, mais *pas assez de* jambon.
Il y a *un peu de* sauce, vous *en* voulez *un peu ?*
Il y a *peu de* café, il n'y *en* a *pas assez.*
Il n'y a *pas de* train le matin, il y *en* a *un* l'après-midi.
Il n'y a *plus de* vin, voulez-vous *de l'*eau ?
Je n'ai *pas d'*argent, je ne peux pas vous *en* donner.
Vous n'avez *pas de* monnaie, je n'*en* ai *pas non plus.*
Je n'ai *pas de* stylo, *ni de* papier.
Vous n'avez *pas de* savon ? — Non, nous *en* manquons.
Il reste *des* cigarettes ? — Non, il n'*en* reste *plus.*
De la mémoire, je n'*en* ai *pas du tout !*
Il y a *de l'*espoir ? — Oui, il y *en* a encore *un peu.*

APPRENEZ A UTILISER LE PRONOM « EN » :

Avec l'impératif :

Donnez	m'	en	un un peu un kilo
Donnez	lui		

Vous en voulez combien ?
— Donnez m'en trois.

Il en a assez ?
— Non, donne-lui en encore un peu.

Elle n'en veut plus ?
— Si, donnez-lui en une douzaine.

Avec l'indicatif :

Je Je Je	t' vous lui	en donne	un un peu quelques-uns combien ?

Vous	m' lui	en donnez	une livre quelques-unes trop

Vous voulez des roses ? Je vous en donne combien ?
— Vous m'en donnez une douzaine.

QUELQUES IMPÉRATIFS NÉGATIFS

Soyez discret, ne lui en parlez pas !
Surtout, ne lui en donnez pas, il ne doit pas en manger !
Tu as téléphoné à Frédéric ? Ne m'en parle pas, j'ai oublié !

UN PEU DE STYLISTIQUE

Voici un petit poème :

Du pain
Du vin
Et du boursin
Je n'ai plus faim
Votre raisin
C'est pour demain.

En vous inspirant de ce modèle, fabriquez quelques poèmes à partir de :

Du travail et du bonheur.
Du soleil et des vacances.
De l'argent et de la joie.
Du champagne et de la musique.

Apprenez une vieille chanson française
« J'ai du bon tabac... »

« J'ai du bon tabac dans ma tabatière,
J'ai du bon tabac, tu n'en auras pas.
J'en ai du bon et du frais rapé,
T'en auras pas pour ton vilain nez !
J'ai du bon tabac dans ma tabatière,
J'ai du bon tabac, tu n'en auras pas ! »

pour aller plus loin

CONSTRUISEZ UN TEXTE PUBLICITAIRE

Consultez les publicités suivantes (Vichy Saint-Yorre, le lait).

En vous inspirant de ces modèles linguistiques, vous essayez d'écrire un texte publicitaire qui mette en valeur les qualités des produits choisis.

Vous pouvez choisir parmi les possibilités suivantes :

- Boire du vin
  du lait
  de l'eau minérale

- manger du pain
  de la viande
  des oranges

- utiliser de l'huile d'olive
  de l'eau de roses
  de la fleur d'oranger

SI VOUS NE BUVEZ PAS DE LAIT, MANGEZ-EN.

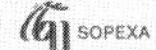

QU'EST-CE QU'IL Y A CE SOIR A LA « TÉLÉ » ?

Programme pour une semaine des trois chaînes nationales de la Télévision Française.

SÉLECTION TV
du 17 au 23 avril

TF1	A2	FR3
SAMEDI		
Pourvu que Michel Polac ne change pas d'avis ! **20.30 Droit de réponse** est consacrée ce soir, sauf imprévu, à la fraude fiscale. Avec un peu de chance, quelques contribuables justiciers devraient rapidement désintégrer le studio.	**30.35 Champs Élysées :** Eddy Mitchell. **21.40 Les Scénaristes,** film TV de Nino Monti avec **Bernard Haller.** Blandine Pichery n'y va pas par quatre chemins : « C'est un délice » assure-t-elle. Fichtre !	Certes, il y a « Les Caprice de Marianne » par la Comédie française. Eh, bien, c'est raté. Organisez votre soirée en conséquence. 
DIMANCHE		
Allez donc voir un vrai film. De « La Maison du lac » à « Reds » vous avez vraiment l'embarras du choix. 	**20.35 Chantez-le moi :** la chanson idiote. Exemples : « Titine », « La Biaiseuse ». Bref, le top niveau. **22.25 La Tangente** avec **René.** A moitié convaincant mais déjà impressionnant.	C'est vrai qu'ils sont assez indigestes les nouveaux FR3. Trop de « Paris-Brest » et pas assez d'œufs à la neige. Il va falloir alléger quelque peu tout ça. Mais n'oubliez surtout pas « The Shangai gesture », le film de von Sternberg avec Gene Tierney à 22.30 : fascinant.
LUNDI		
20.35 Le Secret, film (1974) de Robert Enrico avec **Philippe Noiret.** Ambigu et inquiétant, quand on le voit pour la première fois, mais il s'agit d'une troisième diffusion, alors...	**20.35 Musique au cœur : Toscanini,** il maestro par excellence. **21.50 Enigme à Pontaumur :** quand une région se mobilise pour financer l'installation d'une P.M.I. Exemplaire.	Attaquez donc les Mémoires de Saint-Simon qui sortent chez Ramsay en 18 volumes. Vous devriez avoir fini vers le 15 août, à raison d'un volume par semaine.
MARDI		
20.35 Cousteau et son odyssée sous-marine : « Sang chaud dans la mer ». Baleines, lamentins, phoques et orques par milliers. De toute manière, les enfants voudront voir...	**20.35 Vivre ma vie,** film TV de Cl. Ferraro avec **Françoise Arnoul.** Quand des adolescents choisissent de passer à l'âge adulte par le refus et la violence. Une réussite.	**20.30 La dernière séance :** « Les trois mousquetaires » de G. Sidney avec **Gene Kelly** et Lana Turner ; sans blague, une merveille. « Bye, bye, Birdie », du même metteur en scène : nettement moins merveilleux.
MERCREDI		
20.35 Danser pour ne pas mourir : l'envers du carnaval de Bahia. **21.40 L'Accompagnateur,** film TV de Pierre Boutron avec B. Haller et Jean-Claude Brialy. Pour Jacques Marquis, un régal.	**20.35 Le grand échiquier : Philippe Entremont.** Peut-on suggérer que ce numéro soit moins gnan-gnan que le précédent ? D'avance, merci.	**20.30 Terreur à bord,** seconde partie avec **Marie-France Pisier.** Si la première partie vous a assez tenu en haleine pour que vous voyez l'autre...
JEUDI		
Changez de chaîne, « Situations 82 » sur le Cambodge vaut le détour.	**20.35 Situation 82 :** « Retour au Cambodge ». Enfin, un portrait sans fard ! **21.40 Les Enfants du rock** avec Ry Cooder. Les Dogs, The Fleshtones, Deraime.. Ah, l'embarras quand on n'a qu'une formation de germaniste !	**20.30 L'Honneur perdu de Katharina Blum,** film (1975) de V. Schlöndorff avec **Angela Winkler.** L'analyse du « fascisme administratif » ordinaire, la dénonciation de la presse à sensation... Très percutant.
VENDREDI		
20.30 Guy Bedos, si le cœur vous en dit. **21.35 Joëlle Mazart** (2) avec **Emmanuelle Debever.** Si le cœur vous en dit encore, c'est une question d'appétence, n'est-ce pas.	**20.35 Paris-Saint-Lazare,** série en 6 parties de Marco Pico avec **Dominique Labourier.** C'est simplement épatant. A ne pas manquer. **21.35 Apostrophes** **23.10 La Vérité sur Bébé Donge.** A voir.	**20.30 Le nouveau vendredi :** le dossier secret du gaz sibérien. Donc, il y a eu des fuites... **21.30 Adros Antoinette,** film TV avec **Luce Melitte.** Mélancolique et tendre. Pas mal du tout.

Extrait de *Télérama* du 17 au 23 avril

textes

CANEVAS DE JEUX DE RÔLES

CANEVAS 1

Dans une épicerie, une personne demande du vin.

— L'épicier demande quelle sorte de vin.
— Le client demande un bon vin.
— L'épicier veut savoir quel cru (Bourgogne, Bordeaux, Beaujolais ou crus locaux).
— Le client ne sait pas.
— L'épicier demande ce qu'il mange avec.
— Le client répond.
— L'épicier propose un vin.
— Le client demande le prix.
— L'épicier répond.
— Le client trouve le vin trop cher.
— L'épicier dit que c'est une très bonne année.
— Le client demande autre chose.
— L'épicier propose un vin de qualité inférieure.
— Le client accepte ou refuse.

CANEVAS 2

Un homme (ou une femme) veut maigrir et va consulter un médecin (ou un charlatan).

— La personne expose son problème (elle ne peut plus se regarder dans la glace).
— Le médecin lui demande son poids et son âge.
— Elle répond.
— Le médecin lui demande ce qu'elle mange d'habitude.
— La personne répond.

(On peut envisager plusieurs répliques pour obtenir des précisions sur le régime alimentaire).

— Le médecin conseille ce que la personne doit manger et ce qu'elle ne doit pas manger.
— La personne répond avec découragement.

(On peut également envisager le cas où la personne veut maigrir sans régime et en prenant des médicaments).

CANEVAS 3

Une personne veut aller faire du ski et s'adresse à une agence de voyages.

— Elle demande s'il y a de la place à X.
— Réponse négative.
— Déçue, elle demande où il reste des places.
— Réponse de l'employé.
— La personne pose une question sur la date.
— L'employé donne une date en hiver.
— La personne refuse à cause du manque de soleil.
— L'employé propose une autre station.
— La personne refuse à cause de l'altitude et du climat.
— Conseil de l'employé.
— Réponse et décision de la personne.

CANEVAS 4

Un monsieur fait un numéro de téléphone et demande Maria.

— C'est une jeune fille qui répond, mais ce n'est pas Maria.
— Le monsieur vérifie qu'il a fait le bon numéro.
— La jeune fille lui répond que c'est une erreur.
— Le monsieur s'excuse et engage la conversation.
— La jeune fille répond en riant.
— Le monsieur insiste et lui demande comment elle est.
— Elle répond ironiquement en disant le contraire de ce qu'elle est.
— Le monsieur l'invite à dîner pour le soir même.
— La jeune fille refuse, en lui disant qu'il est « soûl » (qu'il a bu), ou pour une autre raison.

(Elle peut aussi accepter).

ACTIVITÉS DE PRODUCTION LIBRE

UNE ANNÉE POUR APPRENDRE

Vous êtes libre de poursuivre votre éducation pendant un an et votre employeur finance cette année d'apprentissage. Comment allez-vous l'organiser?

Questions:

— Qu'est-ce que vous désirez apprendre en priorité?
- D'abord...
- Ensuite...
- Enfin...

— Si vous devez sacrifier quelque chose, est-ce que ce sera:
- Des activités physiques ou sportives?
- Des activités artistiques?
- Des activités scientifiques ou techniques?
- L'étude des sciences humaines?
- Les langues étrangères?

UN EMPLOI DU TEMPS IDÉAL

Guide de réflexions:

- Motivations.
- Buts de l'apprentissage.
- Programme (matières à étudier, etc.)

Faites, sous forme de tableaux, l'emploi du temps:

- D'une semaine de travail pour un adolescent de l'âge de votre choix;
- D'une journée de loisirs pour vous.

EXERCICES A CHOIX MULTIPLES

Voici trois phrases. Une seule correspond à la situation. Dites si c'est la première, la deuxième ou la troisième.

SITUATION 1
UN RÔTI, « C'EST PARTI ! »

1. Un client prend du filet de bœuf.
Un autre client prend de la blanquette de veau.
Une dame prend du poisson.
2. Comme dessert, il y a de la glace, de la crème et des fraises.
Le premier client prend de la tarte.
Il reste beaucoup de tarte.

SITUATION 2
DES GAULOISES, S'IL VOUS PLAÎT!

3. Le client prend un paquet de Gitanes.
Il prend un paquet de Gauloises sans filtre.
Il achète une boîte de cigares.

SITUATION 3
UN CHAT DIFFICILE

4. Le client achète une boîte de Ronron pour son chat.
Il demande du filet pour son chat.
Il ne reste plus de Ronron.

SITUATION 4
QU'EST-CE QU'ON FAIT L'AN PROCHAIN?

5. Le lycéen veut faire des mathématiques.
Il veut faire de la physique.
Il veut faire du droit et de l'économie.

SITUATION 5
QU'EST-CE QU'IL Y A CE SOIR A LA TÉLÉVISION?

6. Sur la « une » il y a un western.
Sur la « une » il y a du tennis.
Sur la « une » il y a du « foot ».
7. Sur la « deux », il y a de la politique avec Georges Marchais.
Sur la « deux », il y a du patin à glace.
Sur la « deux », il y a de la guitare à onze heures.
8. Sur la « trois », il y a de la musique.
Sur la « trois », il ne sait pas ce qu'il y a.
Sur la « trois », il y a un reportage.

SITUATION 6
DU SUPER OU DE L'ORDINAIRE ?

1. A la station service, le client fait le plein.
   A la station service, le client prend pour cent francs d'ordinaire.
   A la station service, le client prend pour cent francs de super.
2. L'employé vérifie l'eau.
   Il vérifie l'huile.
   L'employé n'a pas le temps de vérifier les niveaux.
3. Il manque un peu d'huile.
   Il n'y a pas assez d'huile.
   Il y a trop d'huile.
4. Le client a encore de l'huile dans son coffre.
   Il ne lui en reste plus.
   Il ne lui en reste pas assez.

TEXTES DES DIALOGUES

SITUATION 1
UN RÔTI, « C'EST PARTI ! »

Dans un restaurant.

Le serveur : Qu'est-ce que vous prendrez ?
La cliente : Pour moi, de la blanquette de veau.
Le serveur : Et pour Monsieur ?
Le client : Pour moi du rôti de bœuf.
Le serveur : Une blanquette et un rôti. « C'est parti ! »

Le serveur : Comme dessert, y a de la tarte, de la crème de marron et du fromage.
La cliente : Pour moi, une tarte.
Le serveur : Et pour Monsieur ?
Le client : Oui, moi aussi, une tarte.
Le serveur : Il n'en reste qu'une.
Le client : Alors, je prendrai une crème de marron.

SITUATION 3
UN CHAT DIFFICILE

Dans une boucherie.

Le client : Je voudrais un morceau de viande pour mon chat.
Le boucher : Qu'est-ce que vous voulez comme morceau ?
Le client : Du filet, naturellement !
Le boucher : Il ne reste plus de filet, Monsieur ; prenez une boîte de Ronron.
Le client : Mon chat ne mange pas de Ronron ! Alors, donnez-moi de l'entrecôte.
Le boucher : Bien, Monsieur, à votre service, Monsieur.

SITUATION 2
DES GAULOISES, S'IL VOUS PLAÎT !

Dans un bar-tabac.

Le client : Un paquet de Gauloises, s'il vous plaît !
Le buraliste : Avec ou sans filtres ?
Le client : Sans filtres et une boîte d'allumettes, s'il vous plaît !
Le buraliste : Voilà. Ça fait cinq francs vingt-cinq.

SITUATION 4
QU'EST-CE QU'ON FAIT, L'AN PROCHAIN ?

Dans une cour de lycée.

L'étudiant : Qu'est-ce que tu vas faire, l'année prochaine ?
L'étudiante : De la physique et de la chimie.
L'étudiant : Tu feras aussi des langues ?
L'étudiante : Oui, je continuerai l'anglais et l'allemand.

SITUATION 5
QU'EST-CE QU'IL Y A CE SOIR, A LA TÉLÉVISION ?

Dans un appartement.

Le garçon: Qu'est-ce qu'il y a ce soir à la « télé » ?
La fille: « Y a » du « foot » sur la « une ».
Le garçon: Oh « zut », et sur la « deux » ?
La fille: « Y a » du patin à glace et de la guitare à dix heures.
Le garçon: Et sur la « trois » ?
La fille: « J'en sais rien », regarde toi-même !

SITUATION 6
DU SUPER OU DE L'ORDINAIRE ?

A la station-service.

Le pompiste: Je vous fais le plein ?
Le client: Non, vous m'en donnez pour cent francs.
Le pompiste: Du super ou de l'ordinaire ?
Le client: Du super.
Le pompiste: Je vérifie les niveaux ?
Le client: L'eau « c'est pas » la peine, mais je crois que je n'ai pas assez d'huile.
Le pompiste: Il manque un peu d'huile, vous en avez ?
Le client: Non, il ne m'en reste plus.

Le client: Je vous dois combien ?
Le pompiste: Ça fait cent cinquante francs.

RIME 1
DE L'AMOUR TOUS LES JOURS

Du pain ?
— J'en veux bien.

De l'eau ?
— Un petit pot.

Des cigarettes ?
— Donnez m'en sept.

Du whisky ?
— Non, merci.

De l'amour ?
— Tous les jours.

RIME 2
DU PAIN, J'EN VEUX BIEN

1. *Du pain ?*
   — J'en veux bien.
   Du fromage et du vin ?
   — Du vin, j'en prendrai un peu.

2. *De la sauce ?*
   — Non, merci, je n'en veux pas.
   De la tarte et de la crème ?
   — De la crème, j'en veux bien, mais pas trop.

3. *De l'eau ou de la bière ?*
   — De la bière, j'en boirais bien un verre.
   Du whisky ?
   — Non, merci. Je n'en prends pas. Je n'aime pas ça.

4. *Des cigarettes ?*
   — J'en voudrais deux paquets, s'il vous plaît ?
   Des allumettes ?
   — Il m'en faut une boîte.

RIME 3
Y A PLUS DE PRINTEMPS

Y a plus de printemps, y a plus d'enfants et tout fout le camp.
Y a de la jeunesse, y a du soleil, et y a du bon temps.

Y a plus de blanquette, y a plus de bifteck, c'est pas très chouette.
Y a du fromage, y a des petits pois, oui ça ira.

Y a plus de rois, y a plus de reine, c'est pas de veine.
Y a du bon pain, y a du bon vin, et moins de peine.

Y a plus de pétrole, y a plus de charbon, y a plus rien de bon.
Y a des idées, y a des projets, créativité.

Y a plus de boulot, y a plus d'argent, y a plus que la crise.
Y a des chômeurs, y a des demandeurs, la faute à qui ?

Y a plus de sérieux, y a plus de bon Dieu, oh ! bon vieux temps.
Y a que des râleurs, des rouspéteurs, des pas contents.

Y a plus de bons profs, y a plus d'artistes, y a que des fainéants.
Mais y a de la joie, y a des vacances, vivent les dimanches.

Y a plus d'enfants, y a plus de parents, tout fout le camp.
Y a du bon temps, y a de la jeunesse et y a l'amour.

Comment sont-ils?

ambiance

Une passoire aux cent trous
La photo de Bogart
Une pendule arrêtée
Une femme qui dit « non »
Un rire en éclats
Et un chat angora...

Les Mille et une Nuits
Un doux parfum de femme
Une santé de fer
Des éclats de diamants
La lune qui s'en va
Et deux chats angora...

Une main aux doigts peints
Un masque de velours
Des yeux brillants de larmes
Trois grains de folie
Le portrait de Grand-père
Le portrait de Grand-mère
Mille jours de regrets
Un voyage en ballon
Beaucoup d'et caetera
Et des chats angora...

situations

On lui a volé sa voiture

Une fiche de location de voiture

Quelques extraits du Code de la route

ci-contre :

Le stationnement payant

Le stationnement payant est signalé par un des panneaux :
Le temps de stationnement est déterminé, dans la limite du temps maximum autorisé, par la somme d'argent dont on s'acquitte :

- soit en l'introduisant dans un parcmètre, implanté à chaque emplacement de parking;
- soit en l'introduisant dans un horodateur. Les horodateurs sont répartis sur la zone de stationnement payant et délivrent un ticket qui indique le jour, le prix payé et la fin du stationnement autorisé. Ce ticket doit être placé bien visiblement derrière le pare-brise du véhicule.

TARIF SPÉCIAL WEEK-END
KILOMÉTRAGE ILLIMITÉ

WEEK-END SPECIAL RATE
UNLIMITED MILEAGE

Applicable au 14 Novembre 1980 dans la plupart des stations Hertz

Valid as of November 14, 1980 in most Hertz stations

CAT	TYPES	PRIX/RATE
A	**FORD FIESTA** 1,1 l ou similaire	235 F
B	RENAULT 5 GTL 4 portes ou similaire	280 F
C	PEUGEOT 305 GR ou similaire	320 F
D	BMW 320 ou similaire	450 F
E	PEUGEOT 604 ou similaire	550 F
F	RENAULT 5 automatique	300 F
G	**FORD GRANADA** 2,8 ou similaire	650 F
PRIX T.T.C.	**RATE WITH V.A.T.**	

Non inclus : Assurance personnes transportées et essence.
Valable du vendredi 15 heures au lundi 9 heures dans les stations Hertz **(sauf Côte d'Azur).**
Vérifiez la liste auprès des centres de réservations.

Rates do not include P.A.I. and gasoline
Applicable as of friday 3 p.m. to monday 9 a.m. at all Hertz Corporate locations **(except Côte d'Azur).**
Check the list at our Reservation Centers

CONDITIONS :
Les voitures doivent être retournées à la station de départ, au plus tard le lundi à 9 heures. Dans le cas contraire, le tarif normal sera appliqué.
Les prix ne sont pas sujets à remise.
Les modèles de voitures sont modifiables selon disponibilité.

CONDITIONS :
Cars must be brought back to station of departure, no later than monday 9 a.m. Otherwise, normal rate will apply.
Rates are not discountable and subject to availability of cars.

POUR RÉSERVER :
Appelez votre Concierge d'Hôtel, votre Agent de Voyages, nos Centres de Réservations de :

FOR RESERVATIONS :
Contact your concierge, travel agent, Hertz Reservation Centers at :

PARIS : 788.51.51 - LYON : (7) 849.75.75 - NICE : (93) 83.07.01

ou votre station Hertz la plus proche.

or call the nearest Hertz station.

N.B. : les prix mentionnés sont sujets à modification sans préavis.

N.B. : Rates are subject to change without notice.

Cegep/Royer, Mantes 4601/3

HERTZ LOUE DES FORD ET D'AUTRES GRANDES MARQUES

— Il y a de tout dans ce grenier :
une robe en dentelles,
un couteau à pain,
des chaussures à lacets,
des torchons de cuisine...
Il y a même un tableau de maître !

NOËL EN VILLE

NOËL A LA CAMPAGNE

« Petit Papa Noël
Quand tu descendras du ciel
Avec des jouets par milliers
N'oublie pas mon petit soulier... »

Il aime l'art moderne et il s'y connaît.
Elle cherche à comprendre.

CENTRE NATIONAL D'ART ET DE CULTURE GEORGES POMPIDOU, rue Rambuteau, angle rue Saint-Merri. (M° Rambuteau, Hôtel-de-Ville). 277.12.33. Tlj sf Mar de 12h à 22h. Sam et Dim 10h à 22h. Visite guidée en semaine. A 15h30, Sam, Dim à 11h. Prix : 15 F. Mer gratuit. **Musée d'Art Moderne :** entrée : 9 F, gratuit Mer et Dim. **Expositions de la grande galerie :** 14 F. Forfait journalier : 18 F. Laissez-passer annuel : 78 F (collectivité, — 18 ans et + 65 ans : 55 F). Informations téléphonées : 277.11.12. (Bar et self-service en terrasse). **Jackson Pollock Retrospective.** Jusqu'au 10 mai. **Man Ray.** Jusqu'au 12 avril. (Entrée libre). **Les Musiciens et leurs drôles de machines** jusqu'au 29 mars. (Entrée libre). **Alain Fleisher,** photos, jusqu'au 28 mars. Entrée : 10 F. **Toyen, Styrsky, Heisler,** Salles d'Art graphique, jusqu'au 31 mai. Entrée 10 F. **Itinéraire d'un graveur Virgil Nevgestic,** jusqu'au 3 mai. Entrée libre. **Comment va la Presse ?** jusqu'au 26 avril. Entrée libre. **Magazines et photographies, nouvelle presse d'actualité 1928-1940,** jusqu'au 31 mai. Entrée libre. **Rogi André. Portraits de peintres.** Jusqu'au 2 mai. Entrée 11 F. **Fred Forest « Bourse de l'imaginaire ». Echange de faits-divers.** Jusqu'au 26 avril.

Le Centre Beaubourg
(ou Centre Georges Pompidou).

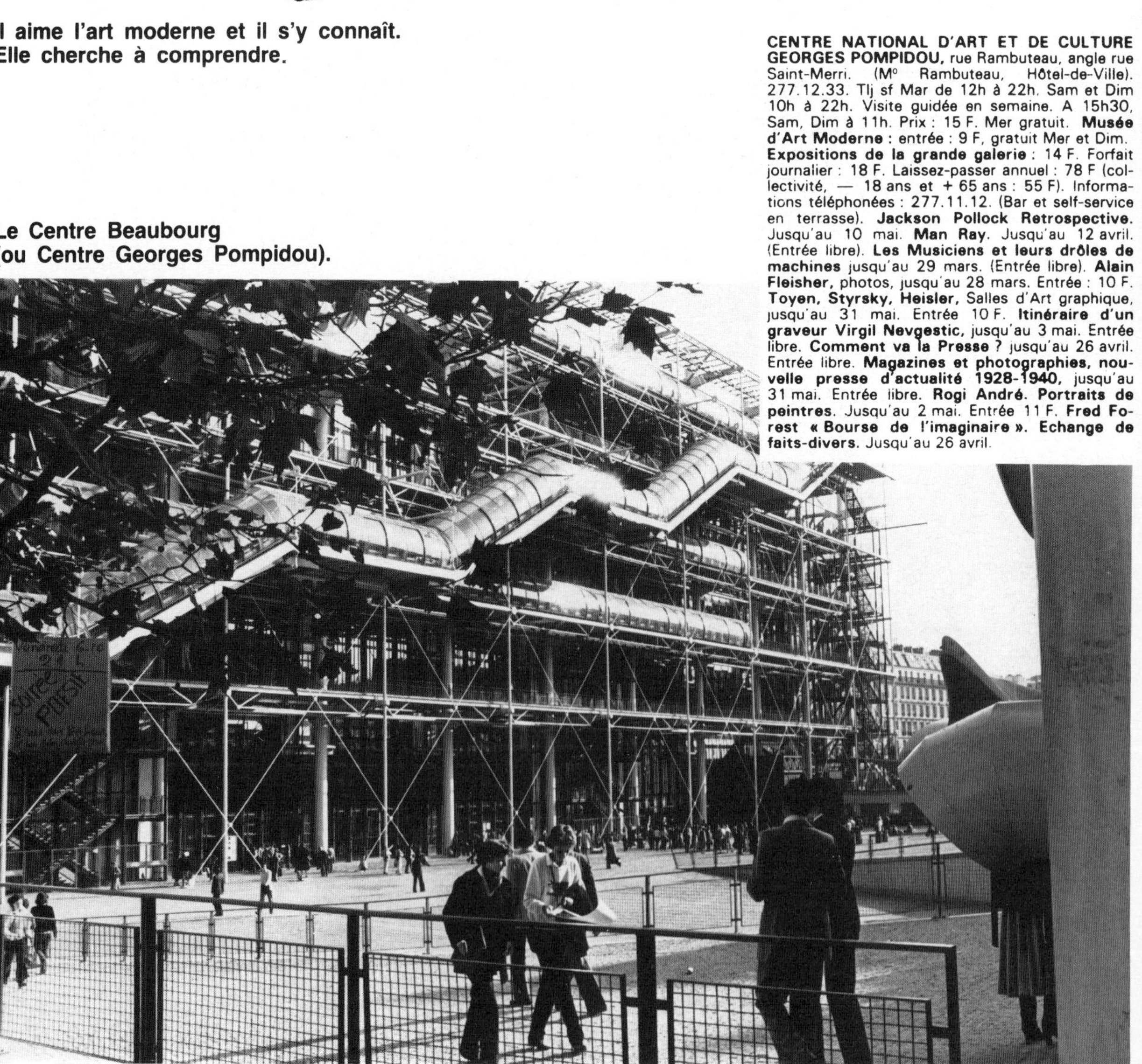

à lire et à découvrir

LE VOYAGE

UN PEINTRE : MATISSE

MATISSE : La blouse roumaine.

« Fond : Rouge-Orangé éclatant.
Jupe : Bleu intense.
Visage et mains : Rose uni.

Œuvre capitale de 1940. Pourquoi ?

Parce que le Blanc de la blouse est le Blanc même de la toile et c'est déjà la pureté blanche du mur de la Chapelle de VENCE.

Parce que, chaque couleur est un aplat pur et c'est déjà le mur-vitrail de la Chapelle de VENCE.

Parce que le graphisme noir est une signature rapide qui, d'un seul jet, cerne la lumière et qu'il est déjà le cerne qui dans le ciel de VENCE découpera un ovale si pur de lumière, qu'il sera — à lui seul —
le visage de Marie.

Visage qui ici, parce qu'il est rose, parce qu'il a deux yeux, un nez et une bouche est encore un visage corruptible.

Visage qui, demain à VENCE, parce qu'il sera blanc, parce qu'il n'aura ni deux yeux, ni un nez, ni une bouche, sera un visage incorruptible, car à défaut d'être,

le visage d'une femme
ou le visage de Marie
il est le visage de la Lumière. »

Noël ÉMILE-LAURENT
Artiste peintre, écrivain
5 avril 1982.

Le mur de la chapelle de VENCE peint par MATISSE.

pratique de la langue

APPRENEZ A CARACTÉRISER

AVEC LES PRONOMS *RELATIFS* ET *DÉMONSTRATIFS*

PHRASES DE BASE	*PRONOMS RELATIFS*		*PRONOMS DÉMONSTRATIFS*	
Le monsieur a de l'argent.		*qui a de l'argent...*		*qui...*
J'ai rencontré un monsieur.	*le monsieur*	*que j'ai rencontré...*	*celui*	*que (qu')...*
J'ai parlé à un monsieur.		*à qui j'ai parlé...*		*à qui...*
Je t'ai parlé d'un monsieur.		*dont je t'ai parlé...*		*dont...*
La dame est charmante.		*qui est charmante...*		*qui...*
J'ai rencontré une dame.	*la dame*	*que j'ai rencontrée...*	*celle*	*que (qu')...*
J'ai parlé à une dame.		*à qui j'ai parlé...*		*à qui...*
Je t'ai parlé d'une dame.		*dont je t'ai parlé...*		*dont...*
Les gens sont drôles.		*qui sont drôles...*		*qui...*
J'ai rencontré des gens.	*les gens*	*que j'ai rencontrés...*	*ceux*	*que (qu')...*
J'ai parlé à des gens.		*à qui j'ai parlé...*		*à qui...*
Je vous ai parlé des gens.		*dont je vous ai parlé...*		*dont...*
Les jeunes filles sont étrangères.		*qui sont étrangères...*		*qui...*
Il a rencontré des jeunes filles.	*les jeunes filles*	*qu'il a rencontrées...*	*celles*	*que (qu')...*
Il a parlé à des jeunes filles.		*à qui il a parlé...*		*à qui...*
Il nous a parlé des jeunes filles.		*dont il vous a parlé...*		*dont...*

Le monsieur qui a de l'argent a acheté une maison.
La dame que j'ai rencontrée est charmante.
Les gens à qui il a parlé sont drôles.
Les jeunes filles dont il nous a parlé sont étrangères.

AVEC LES PRÉPOSITIONS

	A	DE	PARAPHRASES
MATIÈRE		(de/en) Une robe de laine Un sac de cuir	Qui est fait de...
PRIX	Un timbre à un franc Une chambre à cent francs Des pommes à trois francs le kilo		Qui coûte...
CONTENU **VALEUR**		Une bouteille de vin Une tasse de thé Un appartement de quatre pièces Une famille de trois enfants Un billet (chèque) de cent francs	Plein de... Composé de... Ayant la valeur de...
CONSTITUTION **ACCOMPAGNE-MENT** (AVEC)	Une voiture à embrayage automatique Une chambre à deux lits Une glace à la vanille La Vierge à l'enfant		Dans lequel il y a... Qui a... qui comporte... Avec... Qui est accompagné de...
CIRCONSTANCE		Salle de bains Robe d'été Maison de campagne Lunettes de soleil Chaussures de ski Train de nuit	Objet situé... Objet utilisé dans telle circonstance...
USAGE (POUR)	Un couteau à pain Une tasse à thé Une salle à manger		Qui est pour... Qui sert à...

- Un rayon de soleil
- Une minute de silence
- Un chèque de cent francs
- Des lunettes de soleil
- Une machine à laver
- Un mouchoir de soie
- Des chaussures à lacets
- Une machine à écrire
- Un lycée de jeunes filles
- Une femme de tête

- Un homme à femmes
- Un billet d'avion
- Une chaise de paille
- Une table de classe
- Une tarte à la crème
- Un croissant au beurre
- Un train de nuit
- Une nuit d'hiver
- Une maison de rêve
- Une station de ski

- Un bateau de guerre
- Une étoile de mer
- Une classe de neige
- Un couteau à pain
- Une tarte aux pommes
- Une chambre à deux lits
- Un stylo à bille
- Un feu de bois
- Un feu de paille

APPRENEZ A DÉFINIR UN USAGE

Vous pouvez énoncer une règle d'usage de la manière suivante :

- Le vin blanc, il faut le boire frais.
- Le vin blanc, on le boit frais.
- Le vin blanc se boit frais.
- Le vin blanc, ça se boit frais.

Quand il y a plusieurs possibilités d'utilisation d'un objet, on dit :

- Ce plat, on peut le manger chaud ou froid.
- Ce plat se mange chaud ou froid.

Répondez aux questions suivantes en utilisant une des structures ci-dessus :

— Le nylon, il faut le repasser ?
— Les huîtres, on les mange crues ou cuites ?
— La viande de bœuf, il faut la faire rôtir ou griller ?
— Le rôti de veau, ça se mange chaud ou froid ?
— La laine, il faut la laver à l'eau chaude ou à l'eau tiède ?

Et chez vous, dans votre pays :

— Le thé, on le boit à quel moment de la journée ?
— La viande, on la mange bien cuite ou saignante ?
— On boit du vin à tous les repas ?
— Est-ce qu'on apprend la philosophie au lycée ?
— Est-il indiscret de demander à quelqu'un combien il gagne ?
— Est-ce qu'on peut téléphoner à quelqu'un après dix heures du soir ?
— Est-ce qu'on s'adresse à quelqu'un en utilisant son prénom ou son nom de famille ?

Formulez quelques règles d'usage qui vous paraissent importantes dans votre pays.

DEVINEZ QUEL EST L'OBJET

QUELQUES QUESTIONS POSSIBLES

Il ou Elle ?
Elle est grande ?
Elle est lourde ?
Elle tient dans la main ?
Elle se mange ?
Elle sert souvent ?
Les ouvriers s'en servent ?
Les employés s'en servent ?
On s'en sert comment ?
On s'en sert pour se distraire ?
Est-ce que les employés des PTT s'en servent ?
Et les employés des banques ?
Tous les employés des banques s'en servent ?
Est-ce qu'on peut écrire avec ?
Est-ce qu'on peut lire avec ?
Est-ce qu'on peut gagner du temps avec ?
Est-ce qu'on peut gagner de l'argent avec ?

ET LA RÉPONSE

— Alors, c'est une calculatrice de poche !
— Oui, tu as deviné !

UN PEU DE GRAMMAIRE

OBSERVEZ

L'infinitif après « à »

- Une machine *à* lav*er*
- Un fer à repass*er*
- Une machine *à* écri*re*
- Une salle *à* mang*er*

- C'est facile *à* condui*re*
- C'est difficile *à* comprend*re*
- C'est délicat *à* mani*er*
- C'est lourd *à* port*er*
- C'est bon *à* mang*er*
- C'est impossible *à* fai*re*

- N'oublie pas de donner *à* mang*er* aux poissons.
- Elle hésite *à* part*ir* pour l'Italie.
- La surprise est un objet qui sert *à* jou*er*.
- Vous voulez apprendre *à* condui*re*.

Rappelez-vous le sens des prépositions

à = pour	Un couteau à pain Une machine à laver Une salle à manger
à = avec	Une voiture à embrayage automatique
à = qui a	Une chambre à deux lits Un garçon aux cheveux blonds
à = qui coûte	Une chambre à cent francs Des pommes à neuf francs le kil
de = en en = qui est fait de	Un sac de cuir Une montre en or
de = qui contient qui comprend	Une tasse de café Un appartement de quatre pièces Une famille de quatre enfants
de = indique la circonstance de l'objet	Une salle de classe Une robe d'été Un matin de printemps Un maillot de bain Une chemise de nuit

UN PEU DE STYLISTIQUE

POÈMES

Nuit de Juin

Les enfants s'en vont
La main dans la main.

Va mon ami, va,
La lune se lève.

Les enfants s'en vont
Vers les plages nues
Où la mer s'enroule
Entre les rochers.

Va mon ami, va,
La lune est levée.

Quand la mer s'enroule
Entre les rochers
Les enfants se baignent
Dans les hautes vagues
Qui toujours se font
Et puis se défont.

Va mon ami, va,
La lune s'en va.

Femme-objet

Tes Yeux.

Tes yeux, ma belle, ma douce
Tes yeux de fille rousse
Ont la couleur
Du miel et de la mousse.

Renoir : *L'excursionniste* (détail du tableau).
© SPADEM, 1982.

Arletty dans *Les Enfants du Paradis,* un film de Marcel Carné.

Musique ! !

Robes de soie
Robes de laine
Robes de roi
Robes de reine
Vous êtes belles et vous dansez !

Robes de soie
Robes de laine
Robes de joie
Robes de peine
Vous êtes belles et vous pleurez !

pour aller plus loin

APPRENEZ A INTERPRÉTER UN MESSAGE PUBLICITAIRE

A votre avis, à quel type de personnes s'adressent les différentes publicités qui suivent ?

Pour répondre, utilisez la grille ci-contre qui tient compte du sexe, de l'âge, de la catégorie socioprofessionnelle.

Pour caractériser les personnes, vous pouvez également tenir compte du type de comportement : classique, romantique, snob, sophistiqué, dynamique, bourgeois, intellectuel, etc.

CATÉGORIE SOCIO-PROFESSIONNELLE

- Agriculteur, salarié agricole ....
- Petit commerçant, artisan ....
- Cadre supérieur, profession libérale, gros commerçant, industriel ....
- Cadre moyen, employé ....
- Ouvrier ....
- Inactif, retraité ....

SEXE

- Homme ....
- Femme ....

AGE

- 18 à 24 ans ....
- 25 à 34 ans ....
- 35 à 49 ans ....
- 50 à 64 ans ....
- 65 ans et plus ....

LONDRES – Le Sheraton-Park Tower est situé en face de Hyde Park, au cœur de Knightsbridge, le quartier des boutiques de Londres à la mode. Lorsque vous descendez au Sheraton-Park Tower, vous êtes à quelques minutes à pied du grand magasin Harrods. Quel bel hôtel construit entièrement en rond, représentant à lui seul, l'une des belles vues de la ville.

Sheraton. La seule des trois chaînes d'hôtels de luxe vous offrant toutes ces ouvertures sur le monde.

LONDRES-HEATHROW – On vous y servira de gros pavés savoureux de bœuf Angus, en provenance directe des élevages d'Aberdeen. C'est une spécialité renommée de l'Ascot Grill du Sheraton-Heathrow.

Hotel du Collège de France

★★ NN

7, rue Thénard 75005 Paris

Tél : 326.78.36

Restaurant *La Tour d'Argent,* à Paris.

UN LIEU POUR VIVRE

PETITES ANNONCES

LOCATIONS

PARIS

1POL1611/8 - Libre 1er juin. Marais, bel immeuble rez-de-chaussée rue. Beau studio vide, mini-cuisine séparée, plaques électriques, salle d'eau, wc, total 20 m2, chauffage électrique individuel. Bail 1 an ferme, sérieuses références demandées. Loyer et charges 1.300 F.

1POL1613/8 - 19e. Buttes-Chaumont. Dans un meublé entièrement rénové, **chambres avec téléphone** direct. 1 ou 2 personnes à la semaine ou au mois. **Salle de bains** et wc sur palier. Au rez-de-chaussée, **cuisine équipée**, machine à laver, sèche-linge, T.V., mini-bar. A la semaine 1 personne 530 F, 2 personnes 630/680 F.

1POL1593/8 - 9e. Montmartre. Studio 16 m2, confort, chauffage central, demi meublé, bon état. Près du métro. 950 F charges comprises. Libre de suite.

BANLIEUE

3BOL1667/8 - **FONTENAY-SOUS-BOIS (94)** Près du R.E.R. Libre au 1er juillet. 3 pièces, balcon, cave, téléphone, moquette, parfait état, chauffage collectif, calme. Tous commerces, écoles, piscine, crèche, patinoire au pied de la résidence. 66 m2. 2.700 F/mois charges comprises.

2BOL903/8 - **COURBEVOIE (92)** Dans résidence 79 **standing**, calme et ensoleillé. 5 mn R.E.R. et gare. 2 pièces, 53 m2 + jardin privatif, cuisine équipée, **salle de bains, wc, vide-ordures**, interphone, cave, **chauffage central et eau chaude immeuble**. Salaires et références demandées. 1.800 F/mois + charges et caution.

Elle court, elle court la banlieue, un film de Gérard Pirès.

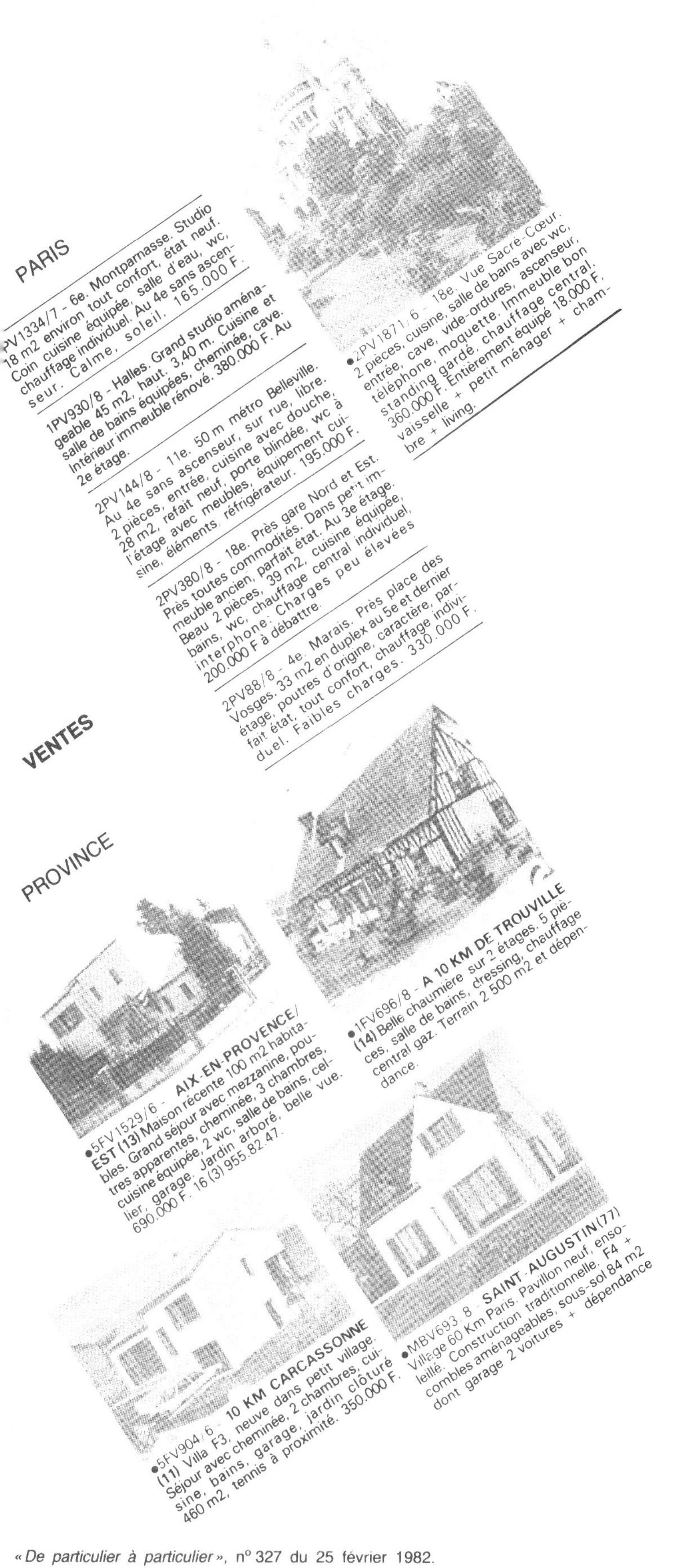

PARIS

PV1334/7 - 6e. Montparnasse. Studio 18 m2 environ tout confort, état neuf. Coin cuisine équipée, salle d'eau, wc, chauffage individuel. Au 4e sans ascenseur. Calme, soleil. 165.000 F.

1PV930/8 - Halles. Grand studio aménageable 45 m2, haut. 3,40 m. Cuisine et salle de bains équipées, cheminée, cave. Intérieur immeuble rénové. 380.000 F. Au 2e étage.

2PV144/8 - 11e. 50 m métro Belleville. Au 4e sans ascenseur, sur rue, libre. 2 pièces, entrée, cuisine avec douche, 28 m2, refait neuf, porte blindée, wc à l'étage avec meubles, équipement cuisine, éléments, réfrigérateur. 195.000 F.

2PV380/8 - 18e. Près gare Nord et Est. Près toutes commodités. Dans petit immeuble ancien, parfait état. Au 3e étage. Beau 2 pièces, 39 m2, cuisine équipée, bains, wc, chauffage central individuel, interphone. Charges peu élevées 200.000 F à débattre.

2PV88/8 - 4e. Marais. Près place des Vosges. 33 m2 en duplex au 5e et dernier étage, poutres d'origine, caractère, parfait état, tout confort, chauffage individuel. Faibles charges. 330.000 F.

●2PV1871/6 - 18e. Vue Sacré-Cœur. 2 pièces, cuisine, salle de bains avec wc, entrée, cave, vide-ordures, ascenseur, téléphone, moquette. Immeuble bon standing gardé, chauffage central. 360.000 F. Entièrement équipé 18.000 F. vaisselle + petit ménager + chambre + living.

VENTES

PROVINCE

●5FV1529/6 - **AIX-EN-PROVENCE/EST (13)** Maison récente 100 m2 habitables. Grand séjour avec mezzanine, poutres apparentes, cheminée, 3 chambres, cuisine équipée, 2 wc, salle de bains, cellier, garage. Jardin arboré, belle vue. 690.000 F. 16 (3) 955.82.47.

●1FV696/8 - **A 10 KM DE TROUVILLE (14)** Belle chaumière sur 2 étages, 5 pièces, salle de bains, dressing, chauffage central gaz. Terrain 2 500 m2 et dépendance.

●5FV904/6 - **10 KM CARCASSONNE (11)** Villa F3, neuve dans petit village. Séjour avec cheminée, 2 chambres, cuisine, bains, garage, jardin clôturé 460 m2, tennis à proximité. 350.000 F.

●MBV693/8 - **SAINT-AUGUSTIN (77)** Village 60 Km Paris. Pavillon neuf, ensoleillé. Construction traditionnelle. F4 + combles aménageables, sous-sol 84 m2 dont garage 2 voitures + dépendance.

« De particulier à particulier », n° 327 du 25 février 1982.

Et si vous n'avez pas assez d'argent pour vous offrir la voiture ou l'appartement de vos rêves...

UN PRODUIT DU TERROIR

Le BEAUJOLAIS est formé de petites collines montagneuses qui bordent la Saône, entre LYON et MACON, sur son versant Ouest. Ces collines ne dépassent guère 700 mètres et s'étendent de vallons en vallons sur 65 km de long et 12 km de large. La vigne s'étend sur les collines entre la forêt et la prairie.

Au nord, le HAUT BEAUJOLAIS est le plus réputé pour la qualité de ses vins. En effet, les terrains sont très variés et nous trouvons là tous les grands crus.

Au sud, le BAS BEAUJOLAIS avec des terrains plus sédimentaires, produit des vins plus abondants et plus légers.

La vinification se fait en BEAUJOLAIS, cuvée par cuvée, et chaque vigneron propose des vins très typés, selon les cuvées réalisées. Le cépage BEAUJOLAIS est le Gamay noir à jus blanc. Il est fait pour les sols granitiques du BEAUJOLAIS. Le vigneron travaille comme un métayer c'est-à-dire qu'il partage la récolte avec le propriétaire. Le Beaujolais est une terre qui recouvre toute une gamme d'appellations :

Le *BEAUJOLAIS A.C.* : En général, il se boit vite, car il est léger, mais fruité et agréable. Il se boit frais. Mis en bouteilles très jeune, il peut être bu à partir du 15 novembre de l'année.

CÔTE DE BROUILLY A.C. : Ils sont produits sur la colline de Brouilly. C'est un vin qui peut se conserver 2 à 3 ans, et qui est en général bien coloré.

CHIROUBLES A.C. : Ils sont récoltés à flanc de collines. Vins très féminins, au parfum voluptueux, très agréables en étant bus jeunes et frais.

MORGON A.C. : Vin très coloré, au goût de terroir très prononcé. Vieilli de 2 à 3 ans, c'est l'un des plus robustes beaujolais.

FLEURIE A.C. : C'est un peu notre « chouchou » et pour nous, le meilleur beaujolais. Il allie la finesse du CHIROUBLES et la robustesse du MORGON. C'est un vin de race, apte à vieillir.

JULIÉNAS A.C. : Vin à la robe colorée, au goût de framboise. Assez robuste, il peut vieillir 3 à 4 ans.

SAINT AMOUR A.C. : Vin agréable, à la robe pourpre. Il possède des parfums pleins de charme, et c'est le beaujolais préféré des dames.

Chardin : *La Mère Laborieuse.*

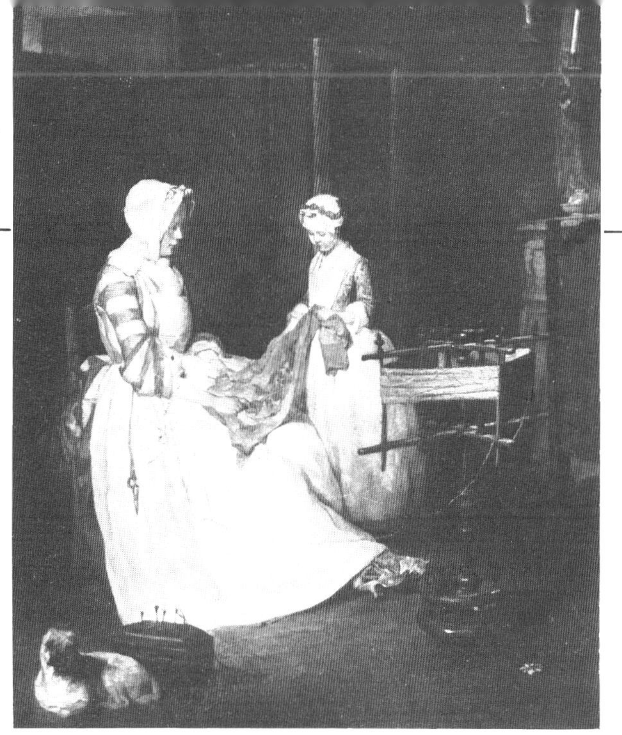

PROMENADE DANS UN MUSÉE : L'EXPOSITION CHARDIN

CHARDIN, PEINTRE DE LA PUDEUR ET DU SILENCE.

« Chardin est avant tout le peintre de la tendresse. Quoi de plus émouvant que le dialogue de la mère et de l'enfant dans *La Mère Laborieuse* ».
« L'artiste a créé, par le statisme de ses compositions, un univers ouaté, hors du temps ».
« Sa grandeur est de nous avoir décrit ce monde quotidien et qui paraît banal sans jamais tomber dans l'anecdote. »

Chardin : *Le Buffet.*

Chardin : *La Pourvoyeuse.*

LES NATURES MORTES

« Ce n'est pas *un* gobelet d'argent, mais *le* gobelet d'argent qu'il peint. »
« Ô Chardin, ce n'est pas du blanc, du rouge, du noir que tu broies sur ta palette : c'est la substance même des objets, c'est l'air, c'est la lumière que tu prends à la pointe de ton pinceau. »

Denis DIDEROT.

UNE MANIÈRE DE VOYAGER DANS UN TEXTE

Ce texte, comme un tableau, propose des images : formes et couleurs, personnages et attitudes. Découvrez-les.

Au second rang, après une marche vide, viennent une femme et un enfant. La femme est située exactement derrière l'homme au journal, mais elle n'a pas posé sa main droite sur la rampe : son bras pend le long du corps, portant quelque sac, ou filet à provision, ou paquet de forme arrondie, dont la masse brunâtre dépasse à peine, sur le côté, le pantalon gris de l'homme, ce qui empêche de préciser sa nature exacte. La femme n'est ni jeune ni vieille ; son visage a l'air fatigué. Elle est vêtue d'un imperméable rouge, coiffée d'un foulard bariolé noué sous le menton. A sa gauche, l'enfant, un garçon d'une dizaine d'années qui porte un chandail à col montant et un étroit pantalon de toile bleue, garde la tête à demi renversée sur l'épaule, la figure levée vers sa droite, vers le profil de la femme, ou bien légèrement en avant, vers le mur nu, uniformément revêtu de petits carreaux rectangulaires en céramique blanche, qui défile régulièrement au-dessus de la rampe, entre la femme et l'homme au journal.

Passent ensuite, toujours à la même vitesse, sur ce fond blanc, brillant, découpé en innombrables petits rectangles, tous identiques et rangés en bon ordre, aux joints horizontaux continus, aux joints verticaux alternés, deux silhouettes d'hommes en complets vestons de couleurs sombres, le premier placé derrière la femme en rouge, deux marches plus bas, tenant sa main droite posée sur la rampe, puis, après trois marches vides, le second, placé derrière l'enfant, sa tête n'arrivant guère plus haut que les sandales à lanières de celui-ci, c'est-à-dire un peu au dessous des genoux marqués à l'arrière du pantalon bleu par de multiples plis horizontaux froissant la toile.

Alain ROBBE-GRILLET
Extrait de *Instantanés*

textes

CANEVAS DE JEUX DE RÔLES

CANEVAS 1

Dans une agence immobilière.

— Un client cherche un appartement ou une chambre à louer.
— L'employé demande la superficie de l'appartement.
— Le client répond.
— L'employé demande combien le client peut mettre.
— Le client répond qu'il ne peut pas dépasser telle somme.
— L'employé propose un appartement et le décrit (étage, orientation, confort, taille, avec ou sans parking).
— Le client demande si les charges sont comprises.
— L'employé répond.
— Le client trouve que c'est un peu cher.
— L'employé en propose un autre.
— Le client et l'employé comparent les avantages et les inconvénients (plusieurs répliques).
— L'employé conseille.
— Le client décide.

CANEVAS 2

Dans un restaurant plein de monde, deux personnes sont assises à une table.

— La personne 1 découvre que son sac n'est plus là.
— La personne 2 lui dit de bien chercher.
— La personne 1 regarde partout.
— La personne 2 lui demande ce qu'il y avait dedans.
— La personne 1 répond (plusieurs répliques).
— La personne 2 propose d'aller au commissariat de police.

CANEVAS 3

Une personne entre dans un magasin de luxe pour faire un cadeau de mariage.

— La personne entre en contact avec une vendeuse.
— La vendeuse lui demande ce qu'elle cherche.
— La personne répond qu'elle ne sait pas quoi offrir.
— La vendeuse lui demande quel prix elle veut mettre.
— La personne répond.
— La vendeuse lui demande si elle veut quelque chose de joli ou quelque chose d'utilitaire.
— La personne répond qu'elle veut offrir quelque chose de joli, qui fait de l'effet.
— La vendeuse lui propose quelque chose pour la table.
— La personne refuse en donnant une raison.
— La vendeuse lui propose un objet.
— La cliente refuse en donnant une raison.
— La vendeuse lui montre un objet et lui explique les qualités de cet article.
— La personne finit par accepter.

ACTIVITÉS DE PRODUCTION LIBRE

OBJETS ET CADEAUX

QUESTIONNAIRE

1. Quels sont les achats récents qui vous ont fait plaisir ? Et pourquoi ?
2. Quel est le cadeau qui vous a fait le plus plaisir ?
3. Quel est l'objet auquel vous tenez le plus ? Et pourquoi ? Citez le premier objet qui vous vient à l'esprit.
4. Quand vous offrez un cadeau, êtes-vous capable d'offrir quelque chose qui ne vous plaît pas, mais qui plaît à l'autre ?
5. Si vous avez le choix parmi les cadeaux suivants que vous propose la même personne, lequel choisissez-vous ?
   - un certain souvenir (objet qui a une valeur sentimentale)
   - un bel objet précieux (pièce de collection, objet d'antiquaire)
   - une somme d'argent
   - un voyage
6. Si vous avez un peu d'argent, qu'est-ce que vous faites de préférence :
   - Vous achetez : un vêtement
un bijou
un livre
un objet d'art
un objet utilitaire
un autre objet
   - Vous vous offrez un plaisir gastronomique.
   - Vous faites un placement d'argent.
7. Acceptez-vous de l'argent en cadeau ? Et de quelle personne ?
8. Avez-vous plus de plaisir à donner qu'à recevoir ou trouvez-vous que le cadeau n'a pas de sens ?

Chacun répond au questionnaire d'après le personnage qu'il a choisi d'être. Ensuite, on interviewe un certain nombre de personnes et, à la suite de cet interview, on choisit la personne à qui on a envie de faire un cadeau.

En grand groupe, chacun dit quel cadeau il fait et à qui. Le destinataire peut accepter ou refuser.

POUR AMÉLIORER LA QUALITÉ DE LA VIE

GUIDE DE RÉFLEXION

Travail

- Durée et répartition du travail.
- Éventail des salaires.
- Rapport salaire-travail.
- Le problème des tâches pénibles.

Loisirs

- Quantité et répartition des loisirs.
- Type de loisirs à privilégier :
  — activités de détente
  — activités sportives
  — activités de formation (initiation aux arts et à l'artisanat)
  — connaissance des autres cultures et civilisations
  — promotion professionnelle

Habitat et urbanisme

- Taille des agglomérations urbaines (répartition de la population entre la ville et la campagne).
- Organisation de ces agglomérations (grands ensembles, petits pavillons).
- Transports.

Pour organiser votre programme, vous pouvez tenir compte des aspects suivants :

— Dans le domaine économique, voulez-vous privilégier la productivité ou les conditions de travail ?

— Dans le domaine social, voulez-vous privilégier les initiatives individuelles et celles des collectivités locales ou la responsabilité de l'Etat ?

— D'une manière générale, quelle fonction pensez-vous qu'il soit important de développer : la créativité ou l'acquisition des connaissances ?

EXERCICES A CHOIX MULTIPLES

Voici trois phrases. Une seule correspond à la situation. Dites si c'est la première, la deuxième ou la troisième.

SITUATION 1.
L'AUTO-ECOLE

1. Le moniteur commence par montrer comment on allume les phares.
   Il commence par montrer le changement de vitesses.
   Il commence par expliquer à quoi sert le starter.
2. Le client passe en troisième tout de suite.
   Il demande comment on fait pour passer en marche arrière.
   Il ne cherche pas à savoir comment on change de vitesse.
3. Le client prend les clignotants pour des phares.
   Il confond le chauffage avec les clignotants.
   Il s'intéresse beaucoup à la conduite.
4. Les clignotants servent à signaler qu'on ralentit.
   Les clignotants servent à éclairer la route quand on roule la nuit.
   Les clignotants servent à indiquer qu'on va tourner.
5. En France, on roule à gauche.
   En France, on peut klaxonner quand et où on veut.
   En France, on n'a pas le droit de klaxonner en ville.

SITUATION 6.
VACANCES EN GRÈCE

1. Il n'y a plus de place à Preveza-Beach.
   Il y a encore beaucoup de place à Preveza-Beach.
   Il y a encore un peu de place à Preveza-Beach.
2. Il reste quelques chambres sur la mer.
   Il n'y a plus de chambres sur la mer.
   Il reste une chambre sur la mer.
3. Les chambres ont toutes une salle de bains et le téléphone.
   Seules les chambres sur la mer ont une salle de bains et le téléphone.
   Les chambres ont seulement un cabinet de toilettes.
4. Le prix du séjour est le même toute l'année.
   Le prix du séjour dépend des dates.
   Le prix du séjour ne comprend pas la pension.
5. La cliente réserve une chambre sur la campagne.
   La cliente réserve une chambre sur la mer.
   La cliente ne réserve pas.

SITUATION 4.
L'ART MODERNE

1. La petite merveille est un animal exotique.
   La petite merveille est une toile moderne.
   La petite merveille est une actrice de cinéma.
2. Les deux personnes sont dans un grand magasin.
   Elles sont dans l'appartement de la femme.
   Elles sont dans un musée ou à une exposition.
3. La jeune femme est très intéressée par la petite merveille.
   La jeune femme est enthousiasmée par la petite merveille.
   La jeune femme n'apprécie pas beaucoup la petite merveille.
4. Elle apprécie beaucoup le tableau.
   Elle ne comprend rien à ce qu'elle voit.
   Elle connaît bien la peinture moderne.
5. Elle trouve que c'est merveilleux.
   Elle trouve que c'est tragique.
   Elle est d'accord avec son ami.

TEXTES DES DIALOGUES

SITUATION 1
L'AUTO-ÉCOLE

Dans la rue, dans une voiture-école.

Le moniteur: Alors, voilà Monsieur, ça c'est le changement de vitesses. Pour partir, vous mettez en première comme ça. Pour passer en première, vous appuyez sur la pédale de gauche.
Le client: Et comment on fait pour passer en marche arrière ?
Le moniteur: Comme ça.
Le client: Ah bon. Et ça, c'est pour allumer les phares ?
Le moniteur: Mais non, Monsieur, c'est le starter. Vous le tirez pour démarrer quand la voiture est froide.
Le client: Et ça, c'est pour le chauffage ?
Le moniteur: Mais non, Monsieur, ce sont les clignotants. C'est pour indiquer qu'on va tourner.
Le client: Et le klaxon, où est le klaxon ?
Le moniteur: Il est là. Mais en ville, Monsieur, on ne klaxonne pas.
Le client: Moi, je veux klaxonner, même en ville !
Le moniteur: Monsieur, vous voulez apprendre à conduire ou vivre votre vie ?
Le client: Les deux, Monsieur !

SITUATION 3
ON VIDE LA MALLE

Dans un grenier.

La fille: Antoine, tu viens m'aider ?
Le garçon: Oui, qu'est-ce que tu fais ?
La fille: Je vide la malle de Grand-mère.
Le garçon: Oh, « dis donc » ! « Tout ça » !
La fille: Oui, c'est formidable, regarde : une robe en dentelles !
Le garçons: Tiens, un couteau à pain !
La fille: Des chaussures à lacets ! Oh ! Elles sont belles !
Le garçon: Une boîte de couleurs ; oh, c'est dommage, les couleurs sont sèches.
La fille: Et un tableau de Rémy, ma parole !
Le garçon: Ça, c'est extraordinaire !
La fille: Il y a même des torchons de cuisine et des mouchoirs de baptiste.
Le garçon: Il n'y a pas un sac en cuir pour homme ?
La fille: Non, mais il y a une trousse de toilette et une montre en or.
Le garçon: « Et ça, c'est quoi ? »
La fille: Un chat empaillé ! Son chat !
Le garçon: Pauvre Grand-mère !...

SITUATION 2
LE CADEAU DE NOËL

Dans un appartement.

L'enfant: Maman, tu m'as acheté un cadeau de Noël ?
La mère: Oui.
L'enfant: Qu'est-ce que c'est ?
La mère: Ça, c'est une surprise ! Je ne veux pas te le dire.
L'enfant: C'est pour quoi faire ?
La mère: Pour jouer.
L'enfant: Ça se casse ?
La mère: Non, c'est solide.
L'enfant: C'est lourd ?
La mère: Oui, c'est très lourd.
L'enfant: Ça sert à quoi ?
La mère: Ça sert à jouer.
L'enfant: Ça sert à jouer à quoi ?
La mère: Tu verras bien !
L'enfant: Ça tourne ?
La mère: Euh, oui, il y a quelque chose qui tourne.
L'enfant: Est-ce qu'on peut travailler avec ?
La mère: Oui, si on veut. On peut travailler et jouer.
L'enfant: Est-ce que ça vole ?
La mère: Je ne veux pas te le dire, c'est une surprise.

SITUATION 4
L'ART MODERNE

Dans un musée.

L'homme: Venez, chère amie, je vais vous montrer une petite merveille. C'est dans la salle du fond, là-bas.
La femme: Je suis curieuse de connaître vos goûts.
L'homme: Voilà, mettez-vous ici : l'éclairage est bien meilleur. Elle vous plaît ?
La femme: Je la trouve très belle, mais...
L'homme: Mais quoi ?
La femme: Mais, voyez-vous, je ne comprends pas. Est-ce qu'elle regarde à droite ou à gauche ? Où est son œil gauche ?
L'homme: Mais là, voyons, ma chère !
La femme: Ah bon ! Vous êtes sûr que ce n'est pas le nez ?
L'homme: Je vois que vous n'appréciez pas beaucoup !
La femme: Ecoutez, je trouve que c'est tragique. Ça me fait un peu peur...
L'homme: Que voulez-vous ! C'est sa vision du monde !

SITUATION 5
UNE DÉCLARATION DE VOL

Dans un commissariat de police.

L'agent 1 : C'est pour... ?

Le monsieur : C'est pour un vol de voiture.

L'agent 1 : C'est la troisième porte à droite au fond du couloir, bureau 30.

L'agent 2 : Qu'est-ce que c'est ?

Le monsieur : On m'a volé ma voiture.

L'agent 2 : A quel endroit ?

Le monsieur : Rue de la Gaîté, juste en face de Bobino[1]. Entre le 27 et le 31.

L'agent 2 : A quelle heure ?

Le monsieur : Cette nuit, je ne sais pas exactement à quelle heure. Entre onze heures du soir et huit heures du matin.

L'agent 2 : Qu'est-ce que c'est comme voiture ?

Le monsieur : Une Citroën CX à embrayage automatique.

L'agent 2 : De quelle couleur ?

Le monsieur : Gris métallisé, quatre portes, intérieur cuir, avec auto-radio.

L'agent 2 : Numéro d'immatriculation ?

Le monsieur : 310 ARC 75.

L'agent 2 : Vous avez la carte grise et votre permis de conduire ?

Le monsieur : Voilà.

L'agent 2 : Bien, merci. C'est votre adresse actuelle ?

Le monsieur : Oui.

L'agent 2 : Vous avez le téléphone ?

Le monsieur : 36.33.32.11.

1. Bobino : salle de spectacle où se produisent de nombreux chanteurs.

SITUATION 6
VACANCES EN GRÈCE

Dans une agence de voyages

La cliente : Vous dites qu'il y a encore de la place à Preveza-Beach[1] ?

L'employée : Oui, il y a quelques chambres à deux lits, avec vue sur la campagne, pour la semaine du 4 au 11 avril.

La cliente : Il n'y a pas de chambres sur la mer ?

L'employée : Non, elles sont réservées depuis longtemps.

La cliente : Les chambres sont confortables ?

L'employée : Elles ont toutes un grand balcon, salle de bains, musique, téléphone et climatisation.

La cliente : Et l'hôtel, comment est-il ?

L'employée : C'est un hôtel trois étoiles. Vous avez deux bars, une discothèque, des boutiques. L'ambiance est très agréable.

La cliente : Quel est le prix du séjour ?

L'employée : En demi-pension ou en pension complète ?

La cliente : Demi-pension.

L'employée : Ça dépend des dates. Voilà notre brochure. Vous avez tous les renseignements.

La cliente : Bien, je vous remercie. Je vais réfléchir et je repasserai.

L'employée : Dépêchez-vous ! Il ne reste plus beaucoup de places.

1. Preveza-Beach : Club de vacances en Grèce.

unité **7**

Qui choisir et que choisir ?

ambiance

A vos yeux, qu'est-ce qui évoque le mieux la France ?

situations

QUEL EST LE MEILLEUR PRODUIT ?

— Ma chemise est moins blanche,
Robot lave mieux !
Ta machine lave moins bien.

— Madame, vous méritez le mieux :
la salle de bains la plus fonctionnelle
et la mieux équipée !

à lire et à découvrir

QUEL EST VOTRE TYPE DE FEMME ?

GRETA GARBO
Divine, lointaine, fascinante...

BRIGITTE BARDOT
Coquette, naïve, féminine...

SOFIA LOREN
Superbe, sensuelle, envoûtante...

QUEL EST VOTRE TYPE D'HOMME ?

GÉRARD PHILIPPE
Beau, charmeur, romantique...

HUMPHREY BOGART
Séduisant, mystérieux, troublant...

JEAN-PAUL BELMONDO
Séducteur, aventurier, viril...

QUELLE EST POUR VOUS LA MEILLEURE PROFESSION ?

Cette jeune femme est peut-être secrétaire, hôtesse, ou attachée de presse. Elle gagne assez bien sa vie. Sa profession lui plaît car elle a de nombreux contacts.

Cet homme, paysan ou bien ouvrier, est heureux de vivre ; il est en contact avec la nature, dans son travail ou dans son jardin.

Elle pourrait être employée, assistante sociale ou bien encore institutrice. Son métier l'occupe beaucoup ; très active, elle est souvent fatiguée.

Il est peut-être journaliste, musicien ou jeune cadre. Il est bien dans sa peau. Il a la chance d'avoir un métier qui le met à l'abri des soucis matériels.

QUEL EST POUR VOUS LE PLUS BEL ÂGE ?

Les âges de la vie.

QUESTIONNAIRE

Quel est pour vous :

le plus grand bonheur,
le plus grand malheur,
la plus belle fleur,
le plus grand acteur.

Dites-moi quel est pour vous :

le plus grand défaut,
la plus grande qualité,
chez la personne que vous aimez.

Dites-moi quel est pour vous :

le plus grand roman,
la plus jolie ville,
la plus jolie plage.

Et dites-moi quel est pour vous :

le plus bel âge ?

pratique de la langue

APPRENEZ A PARLER D'UNE PERSONNE

DÉCRIRE LA PERSONNE

Voici quelques portraits et une liste d'adjectifs. Trouvez les adjectifs qui correspondent à chacun des portraits :

Adjectifs liés à la façon de s'habiller (l'allure) :

jeune
sportif(ve)
décontracté(e)
distingué(e)
chic
élégant(e)
snob
sobre
bourgeois(e)
classique
raffiné(e)
« bon chic, bon genre »

Adjectifs liés à l'aspect physique et à la personnalité :

beau (belle)
superbe
ravissant(e)
magnifique
intelligent(e)
intellectuel(le)
tendre
doux (douce)
séduisant(e)
avoir du charme
être sympathique
avoir de la classe
avoir de la distinction
être souriant(e)
avoir l'air sévère
avoir l'air malicieux(euse)
avoir l'air bien dans sa peau

APPRÉCIER LA PERSONNE

— Il (elle) me plaît beaucoup (assez).
— Je l'aime beaucoup.
— Je l'adore.
— Je (le, la) trouve magnifique, superbe, extraordinaire, ravissant(e).
— Je trouve qu'il (elle) est superbe, etc.
— Il (elle) a l'air décontracté (sportif).

APPRENEZ A PARLER DE CHOSES OU D'ACTIVITÉS

Voici quelques structures qui servent à exprimer les goûts. Elles sont classées par type d'appréciation : négative, neutre, positive.
Les structures entre guillemets sont d'un niveau de langue plus familier.

APPRÉCIATION NÉGATIVE :

— Moi, le jazz, ça ne me plaît pas du tout.
— La musique pop, ça m'énerve.
— La musique classique, ça ne m'intéresse pas beaucoup.
— La politique, ça m'ennuie.
— La politique, « ça me casse les pieds. »
— Le sport, ça me fatigue.
— Les voyages, ça ne me dit rien.
— Le travail, ça me tue.
— L'opéra, je déteste ça.
— Je déteste le ballet classique.
— Répondre aux lettres, « ça m'embête. »

APPRÉCIATION NEUTRE :

— Je trouve que « c'est pas mal. »
— Je ne déteste pas faire du sport.
— J'aime bien aller au concert.
— Le jogging, ça me plaît assez.
— Je trouve ça assez intéressant.
— Sortir ce soir, pourquoi pas ?

APPRÉCIATION POSITIVE :

— Le jazz, ça me plaît beaucoup.
— Voyager, ça me passionne.
— La nature, ça me repose.
— Le sport, ça me détend.
— J'aime beaucoup Mozart.
— J'adore l'opéra, le jazz, le disco.
— Je raffole des fleurs,...
— Le champagne, j'adore ça.
— Une symphonie de Mozart, c'est divin (merveilleux).
— La pêche à la ligne, « c'est au poil ».
— La planche à voile, « c'est super ».
— La politique, je trouve ça passionnant.
— Faire du ski, « c'est le pied ».
— Il est reçu à son examen, « c'est épatant ».
— Les tartes à la crème, c'est ce que je préfère.
— Le travail, c'est ce qu'il y a de mieux.
— C'est fou ce qu'elle est jolie.
— Ça, c'est très drôle, ça m'amuse beaucoup.
— C'est « chouette » !

EXERCICE 1

Imaginez trois personnages :

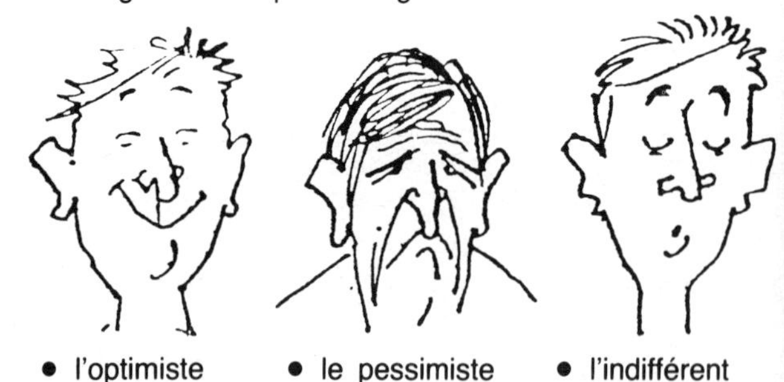

- l'optimiste
- le pessimiste
- l'indifférent

Faites-les parler en utilisant les phrases de la liste ci-dessus :

1. Ils parlent d'une voiture.
2. Ils parlent d'un livre.
3. Ils parlent d'un pays.
4. Ils parlent d'un sport.

EXERCICE 2

Choisissez un ou plusieurs personnages de *L'Enquête* (Dialogues, Unité 2). Ecrivez cinq ou six phrases pour exprimer leurs goûts en choisissant les phrases qui conviennent à leur personnage. Faites deviner le personnage que vous avez choisi.

QUE CHOISIR ?

COMPARER DES QUANTITÉS ET DES QUALITÉS

APPRÉCIER LES CHANCES DE RÉUSSIR :

— Si tu fais médecine, tu as plus de chance de trouver du boulot.

On peut avoir :

• plus de chance • moins de chance • quelques chances • pas beaucoup de chances • très peu de chances • aucune chance	de (d')	• réussir • avoir un travail intéressant bien payé mal payé • gagner bien sa vie

EXERCICE

En utilisant ces structures, vous compléterez les phrases ci-dessous selon votre idée :

— Si tu t'engages dans l'armée...
— Si tu fais de la politique...
— Si tu deviens chef d'entreprise...
— Si tu passes un diplôme d'infirmière...
— Si tu obtiens un premier prix de conservatoire...
— Si tu travailles comme ouvrier à la chaîne...
— Si tu fais de l'informatique...
— Si tu es fort en maths...
— Si tu passes ton bac...
— Si tu te maries...
— Si tu abandonnes tes études...
— Si tu retournes travailler à la terre...
— Si tu entres dans le secteur privé...
— Si tu deviens fonctionnaire...

COMPARER LES QUALITÉS DE L'OBJET PROPOSÉ ET DE L'OBJET RECHERCHÉ

Vous n'aimez pas ce qu'on vous propose, vous voulez obtenir autre chose, vous dites :

Je trouve que c'est un peu cher.
trop cher.
pas assez cher.
un peu trop petit.

Je voudrais quelque chose de plus confortable.
de moins luxueux.
d'un peu plus...
d'un peu moins...

Je voudrais quelque chose qui soit plus...
qui soit moins...
qui ait plus de...

Quelques oppositions d'adjectifs :

cher / bon marché (meilleur marché)
foncé / clair
fragile / solide
gras / maigre
cru / cuit
chaud / froid
léger / lourd
doux / sec (en parlant du vin)
dur / mou (molle)

EXERCICES

Faites des phrases sur les modèles suivants en utilisant les noms et les adjectifs qui conviennent :

Modèle 1 :
• chemise / chère

— Je trouve cette chemise un peu chère, vous n'en avez pas une autre moins chère ?

• le parfum / fort
• les pêches / mûres
• le fromage / gras
• le vin / sec
• la viande / cuite
• le tissu / fragile
• la veste / foncée
• la robe / petite-grande (taille)
• les chaussures / étroites-larges (pointure)

Modèle 2 :
• robe / rouge (bleu)

— Cette robe est très jolie, mais le rouge ne me va pas. Est-ce que vous l'avez en bleu ?

• les bottes / claires (foncé)
• la veste / noire (bleu marine)
• le chemisier / vert (beige)

Modèle 3

— Ce n'est pas tout à fait ce que je cherche, vous n'auriez pas quelque chose de plus... (de moins)

• la cravate / discret (voyant)
• le parfum / chaud (frais)

APPRENEZ A DÉCRIRE UN OBJET EN LE COMPARANT

EXERCICE 1

Fabriquez des phrases sur les modèles suivants en utilisant les adjectifs ou substantifs entre parenthèses.

Modèle 1

— Cette voiture est beaucoup moins chère que vous ne pensez.
(intéressant(e), facile, compliqué(e), confortable, sympathique)

Modèle 2

— C'est devenu aussi facile d'aller à Londres que d'aller à Fontainebleau ou à Chantilly.
(plus difficile, moins intéressant, aussi ennuyeux)

Modèle 3

— Elle vous offre plus de place qu'une autre voiture de sa catégorie.
(intérêt, possibilités, avantages)

EXERCICE 2

Faites des phrases sur le modèle ci-dessous avec les substantifs et les adjectifs suivants :
— Roman / lu / difficile / mieux écrit
— Sport / pratiqué / dangereux / plus amusant
— Acteur (actrice) / admiré(e) / film / avoir du succès

Modèle

Si c'est la voiture la plus vendue en Europe, ce n'est pas seulement parce qu'elle est moins chère, c'est parce qu'elle est meilleure.

La phrase ci-dessus peut se décomposer ainsi :

1. C'est la voiture *la plus vendue* en Europe.
2. Elle est *moins chère* que les autres et elle est *meilleure.*
3. Elle est plus vendue *parce qu'elle* est moins chère et meilleure.
4. Si elle est plus vendue, *ce n'est pas seulement* parce qu'elle est moins chère, *c'est* parce qu'elle est meilleure.

QUELQUES COMPARAISONS TYPIQUES

Amusez-vous à trouver les comparaisons typiques qui sont les plus utilisées dans votre pays ; n'hésitez pas à en inventer...

EXEMPLES

- Aussi élégant qu'une robe de Dior.
- Aussi rapide que Concorde.
- « Clair comme de l'eau de roche. »
- « Riche comme Crésus. »
- « Beau comme un dieu. »

ON DIT AUSSI

- « Long comme un jour sans pain. »
- « Bavard comme une pie. »
- « Gai comme un pinson. »
- « Sérieux comme un pape. »

UN PEU DE GRAMMAIRE

OBSERVEZ

Elle parle *à sa mère*. Elle [*lui*] parle.
Elle parle *à son ami*. Elle [*lui*] parle.
Elle donne à manger *à ses oiseaux*. Elle [*leur*] donne à manger.
Mais...
Marie, je [l'] aime bien, Jean, je ne [l'] aime pas du tout (une personne).
Le chocolat, j'aime [ça] (une chose).
Le jazz, j'aime [ça]; la musique classique, je raffole de [ça].
Voyager, j'adore [ça] (une action).

ATTENTION !

Le patin à glace, c'est *bien*; le ski, c'est *mieux*.
Son premier film est *bon*, son second est *meilleur*.
Le sucre, c'est *mauvais* pour la santé ; la graisse, c'est encore *pire*.

APPRENEZ QUELQUES FUTURS

Gagner sa vie:
Je gagner*ai* ma vie
Tu gagner*as* ta vie
Il (elle) gagner*a* sa vie
Nous gagner*ons* notre vie
Vous gagner*ez* votre vie
Ils (elles) gagner*ont* leur vie

Faire ce qui plaît:
Je fer*ai* ce qui me plaît
Tu fer*as* ce qui te plaît
Il (elle) fer*a* ce qui lui plaît
Nous fer*ons* ce qui nous plaît
Vous fer*ez* ce qui vous plaît
Ils (elles) fer*ont* ce qui leur plaît

OBSERVEZ :

Si je fais du cinéma, je gagnerai bien ma vie.
Si tu fais ce qu'il te dit, tu auras ce que tu voudras.
S'il apprend la vérité, il fera un malheur.
Si elle ne téléphone pas, elle ne le saura pas.
Si nous l'attendons, nous serons en retard.
Si vous venez avec nous, vous ne le regretterez pas.
S'ils ne viennent pas, ils le regretteront.
Si elles recommencent, elles entendront parler de moi.

UN PEU DE STYLISTIQUE

Voici deux modèles de phrases authentiques utilisées pour des publicités :

MODÈLE 1 :

« Douce, chaleureuse, vivante, la laine est un merveilleux cadeau de la nature ».

MODÈLE 2 :

« Pratique, tout rond, il a tout pour vous séduire : un tout petit prix, de jolies couleurs et une taille étudiée » (Il s'agit d'un briquet).

EXERCICES

- Sur le modèle 1, caractérisez les éléments suivants : la mer, le soleil, les étoiles, le sel, le vent.
- Sur le modèle 2, caractérisez les objets suivants : une voiture, un stylo, une machine à calculer.

pour aller plus loin

COMPARER LES NIVEAUX DE VIE, LA SCOLARISATION, LES LOISIRS DE QUELQUES PAYS EUROPÉENS.

SALAIRES ET LOISIRS

COMMENT LES PATRONS EUROPEENS PAIENT LEURS SECRETAIRES
(Salaires bruts, en francs français)

	Dactylo débutante			Sténodactylo confirmée		
	Administ.	Banque	Industrie	Administ.	Banque	Industrie
FRANCE	**2 450**	**2 000**	**2 570**	**2 900**	**3 625**	**3 400**
Italie..............	1 637	2 692	1 882	2 230	3 335	2 730
Angleterre.........	1 845	1 690	1 800	2 200	2 745	3 000
Luxembourg.......	1 887	2 690	1 150	2 536	6 260	nd*
Pays-Bas	2 660	1 940	2 060	4 080	5 000	4 300

Source : *Secrétaire d'aujourd'hui,* janvier-février 1978.
*nd : non disponible.
Nota. — En Italie, les secrétaires gagnent un treizième mois, et parfois un quatorzième.

CE QU'ELLES GAGNENT
(Salaires mensuels nets en francs français)

Elizabeth, l'Anglaise : 1 285. Lucette, la Française : 2 100. Maria, l'Italienne : 2 400. Sophie, la Belge : 2 465. Monika, l'Allemande : 2 990.

Ces salaires, gagnés par les jeunes femmes que nous avons interrogées, n'ont qu'une valeur indicative. Les gains des sténodactylos varient d'ailleurs beaucoup, en fonction de critères très flous, et souvent personnels, d'une administration ou d'une industrie à l'autre à l'intérieur même d'un pays. Mais, en dehors du cas de Maria qui paraît exceptionnel par rapport à la situation de l'Italie, on constate cependant que ces salaires se situent pour la plupart au bas de l'échelle générale. A titre de comparaison, les salaires les plus bas que nous avons observés sur le terrain au cours de cette enquête sont les suivants (revenus nets toujours en francs français) :

Angleterre : vendeur (se) dans un magasin à grande surface	1 290
Italie : ouvrier (équivalence OS en France)	1 504
FRANCE : SMIC	**1 968**
Belgique : femme de salle en hôpital.............	2 010
Allemagne : ouvrière textile......................	2 415

Rappelons que la France est, parmi les pays de notre enquête, le seul à appliquer un salaire minimum légal, national et s'étendant à toutes les branches. Au Danemark aussi, aucun salaire ne peut être inférieur à 25 F l'heure.

LE TEMPS DES LOISIRS

LES CONGES ANNUELS	LEGAUX	ET CONVENTIONNELS
Angleterre	—	15-18
Italie	12	20-24
Pays-Bas..............	15-18	20-21
Allemagne	18	20-30
Belgique	24	24
Danemark	24	24
France................	**24**	**24**

ET LES JOURS FERIES

	d'après la loi	*et en pratique*
France................	**1***	**8-10**
Angleterre	7	7-8
Danemark	9,5	9,5
Belgique	10	10
Allemagne	10-13	10-13
Italie	16	17-18

* Le 1er mai.
Source Eurostat.

L'ÉCOLE

Taux de scolarisation

(pourcentages des jeunes de 15 à 19 ans scolarisés à plein temps)

Luxembourg	**33,5**
Italie	**40,8**
Royaume Uni	**43,9**
Irlande	**47,1**
Allemagne	**51,3**
FRANCE	**51,3**
Pays-Bas	**57,5**
Belgique	**61,3**
Danemark	**62.1**

Source : OCDE.

Partout moins de filles que de garçons à l'école

Effectifs scolaires en pourcentage de la population totale (par sexe)

	Garçons	Filles
Pays-Bas	23,6	20,0
Irlande	22,7	22,1
Royaume-Uni	21,6	19,3
Belgique	21,1	18,6
France	20,9	19,5
Italie	20,5	17,2
Allemagne	19,9	16,7
Danemark	19,5	18,1
Luxembourg	17,0	15,5

Source : Eurostat, année 1974/1975 (derniers chiffres disponibles).

EFFECTIFS SCOLAIRES PAR NIVEAUX (en pourcentage de la population scolarisée)

	Primaire	Secondaire	Université
Allemagne	38,5	52,6	8,9
France	45,0	46,3	8,8
Italie	45,7	45,4	8,9
Pays-Bas	49,8	42,3	7,9
Belgique	49,6	42,3	8,2
Royaume-Uni	50,7	44,8	4,5
Luxembourg	54,9	40,5	4,6
Irlande	57,7	37,8	4,6
Danemark	43,9	45,4	10,7

Source : Indicateurs sociaux de la CEE.

CE QUE GAGNENT CES ENSEIGNANTS DU SECONDAIRE

(salaires mensuels nets en francs français)

Angela l'Italienne (non titularisée)	1 758
Williams l'Anglais (18 ans d'ancienneté)	2 838
Christian le Français (2 ans d'ancienneté)	3 900
Barbara l'Allemande (12 ans d'ancienneté)	6 210
Robert le Belge (20 ans d'ancienneté)	6 715

LES BIENS DE CONSOMMATION

PRIX D'UNE VOITURE R 14 TL EN EUROPE

(en francs français)

Italie	24 554
RFA	25 880
Angleterre	25 964
Belgique	27 056
France	**28 900**
Pays-Bas	30 991

Source : Régie Renault, janvier 1979.

PRIX D'UN APPARTEMENT NEUF

(trois pièces cuisine 60 m² dans une grande ville)

	Prix d'achat (FF)	Apport personnel	Taux d'intérêt et durée du prêt	Loyer mensuel (FF)
France	**430 000**	**20 %**	**13 % sur 15 ans**	**1 700**
Pays-Bas	420 000	20 %	9,4 % sur 15 ans	1 900
RFA	400 000	30 %	7,7 % sur 10 ans	1 600
Danemark	400 000	20 %	15 % sur 15 ans	2 000
Angleterre	400 000	20 %	8,5 % sur 25 ans	1 800
Belgique	250 000	0 %	9,2 % sur 20 ans	1 680
Italie	230 000	50 %	15 % indéterminé	750

Source : Fédération nationale des promoteurs-constructeurs. Janvier 1979.

COÛTS COMPARÉS D'UN PANIER DE VICTUAILLES

(En francs français)

	ANGLETERRE	ITALIE	FRANCE	BELGIQUE	RFA
TOTAL	**92,95**	**132,55**	**144,20**	**181,00**	**221,80**
dont					
1 kg de pain	1,70	3,50	**6,50**	4,65	4,55
2 kg de bœuf à rôtir	38,50	62,90	**75,00**	104,40	138,00
5 kg de pommes de terre	9,35	7,00	**5,15**	5,20	4,60
1 kg de beurre	10,70	17,60	**17,80**	22,30	22,10
500 g de café	10,60	14,75	**11,10**	17,40	22,25
6 canettes de bière	8,40	11,00	**8,00**	8,40	9,20
2 kg d'oranges	5,00	8,30	**12,30**	9,00	11,50
1 kg de sucre	2,45	3,20	**3,20**	5,00	5,95
1 kg de tomates	6,25	4,30	**5,15**	4,65	3,65

Liste de produits courants établie pour les besoins de comparaison des prix, le même jour (8 janvier 1979) dans les différents pays. Compte tenu des différences de consommation d'un pays à l'autre, ces chiffres ne peuvent servir à comparer les budgets types.

LE PRIX DES BIENS ET DES SERVICES EN HEURES DE TRAVAIL

Nombre d'heures (h) et de minutes (') de travail nécessaire pour acheter quelques produits

	Unité	Bonn	Paris	Rome	Amsterdam	Bruxelles	Londres	Copenhague
Pain	1 kg	15'	13'	16'	10'	9'	10'	13'
Faux-filet	1 kg	2 h 24'	2 h 46'	3 h 4'	1 h 40'	2 h	2 h 26'	2 h 17'
Lait	1 l	6'	8'	9'	5'	5'	7'	5'
Beurre	1 kg	58'	1 h 20'	1 h 49'	1 h 2'	54'	35'	39'
Bière	1 l	18'	14'	22'	9'	11'	25'	14'
Costume homme	1 unité	28 h 17'	61 h 31'	50 h 19'	32 h 11'	36 h 43'	39 h 53'	28 h 22'
Chaussures h.	1 paire	8 h 24'	15 h 19'	11 h 39'	8 h 12'	9 h 29'	9 h 19'	7 h 28'
Mach. à lav.	unité	173 h 24'	283 h 23'	315 h 6'	166 h 32'	201 h 55'	312 h 54'	165 h 29'
Automobile	unité	761 h 40'	1 317 h 56'	1 446 h 17'	934 h 47'	783 h 53'	1 144 h 15'	1 070 h 10'
Disque	unité	34'	47'	40'	33'	31'	25'	27'
Place de ciné	1	34'	55'	68'	32'	35'	42'	36'
Place de stade	1	1 h 54'	3 h 6'	3 h 39'	32'	1 h 1'	1 h 29'	29'

Sur la base des gains horaires bruts des ouvriers masculins de l'industrie (octobre 1975).

Source : Eurostat

Extraits d'une enquête parue dans *le Matin* en janvier 1979.

FAITES PARLER LES CHIFFRES

LA FIAT RITMO FACE A SES RIVALES

CARACTÉRISTIQUES TECHNIQUES	Marque	FIAT RITMO 6,5 l	CHRYSLER SIMCA HORIZON GLS-1,5 l	RENAULT 18 GTL	PEUGEOT 305 GL
	Puissance	6 CV	7 CV	7 CV	7 CV
	Vitesse maximale	150,3 km/h	157 km/h	150,8 km/h	147 km/h
	Consommation	de 6,9 à 10,9 l	de 7,5 à 12,7 l	de 7,2 à 11,8 l	de 7,4 à 12 l
NOTES	Confort	8	7	9	10
	Vitesse	7,5	10	7,5	6
	Tenue de route	8	10	7,5	9
	Coffre	7	6	9	10
	Freinage	8,5	7	9	10
	Consommation	10	7	8	7
	Prix en France clés en main (prix au 1.1.79)	29 832 F	32 054 F	35 354 F	30 354 F

N.B.
1. Ce tableau a été fait à partir d'une enquête publiée dans l'*Auto-journal*, n° 387, septembre 1978.
2. Le confort, la vitesse, la tenue de route, etc. ont été notés sur dix.

L'INVITATION AU VOYAGE

SELON UN POÈTE DU XIXe SIÈCLE

L'invitation au voyage

Mon enfant, ma sœur,
Songe à la douceur
D'aller là-bas vivre ensemble !
Aimer à loisir,
Aimer et mourir
Au pays qui te ressemble !
Les soleils mouillés
De ces ciels brouillés
Pour mon esprit ont les charmes
Si mystérieux
De tes traîtres yeux
Brillant à travers leurs larmes.

Là, tout n'est qu'ordre et beauté.
Luxe, calme et volupté.

Charles BAUDELAIRE

O. Redon : *Les yeux clos*
© SPADEM, 1982

SELON UN CLUB DE VACANCES

Profitez de l'été quand il est encore tout neuf.

C'est bientôt juin, et juin au Club Méditerranée c'est le mois le plus beau pour partir en vacances. Alors, pourquoi attendre le mois d'août?

Au Club, en juin, tout est neuf : le soleil, l'air, le sable.

La nature est splendide. Les oiseaux vous réveillent le matin et les parfums qui viennent de la mer n'ont jamais été aussi purs.

Au Club, en juin, tout fonctionne : la voile, la plongée, l'équitation, le yoga. Des moniteurs vous attendent sur les courts de tennis et des monitrices attendent vos enfants au mini-Club.

Et puis les cases et les bungalows sont très blancs sous le ciel bleu, et la chaleur est encore douce.

Venez vous retrouver un peu et vivre plus lentement.
Plus intensément aussi car juin, c'est le mois où l'on peut le mieux profiter du Club.

Club Méditerranée, renseignements et réservations :
90, Champs-Elysées, Paris 8e - 17, avenue d'Italie, Paris 13e - Place de la Bourse, 75083 Paris Cedex 02. Tél. : 296 10 00. Ou à l'agence Havas de votre ville. Et : rue Ravenstein 58, 1000 Bruxelles - 28, quai Général-Guisan, 1204 Genève.

Concorde. Plus vite que le soleil.

VOUS QUI PARTEZ...
... CHOISISSEZ
UN MOYEN DE TRANSPORT

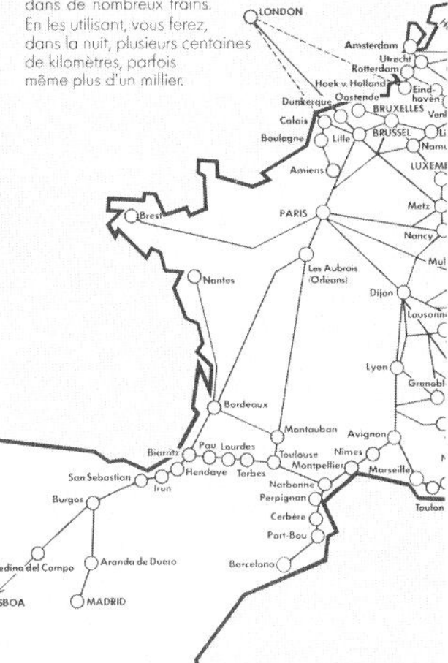

Pour être parmi les premiers, il faut désormais voler en Concorde.

Un des grands rêves est devenu réalité. Une réalité quotidienne. Concorde relie Paris à New York tous les jours en 3 h 45. Vous gagnez presque 4 heures, c'est déjà beaucoup.

Concorde c'est, bien sûr, aussi 3 h 45 de confort supersonique. Vous arrivez détendus, efficaces. Avec Concorde, vous prenez de l'avance.

A-T-ELLE CHOISI SA VIE ?

PORTRAIT D'IRMA LAMBERT

IRMA. — Je m'appelle Irma Lambert. Je déteste ce qui est laid, j'adore ce qui est beau. Je suis de Fursac, dans la Creuse. Je déteste les méchants, j'adore la bonté. Mon père était maréchal-ferrant, au croisement des routes. Je déteste Boussac, j'adore Bourganeuf. Il disait que ma tête est plus dure que son enclume. Souvent, je rêve qu'il tape sur elle. Des étincelles en partent. Mais si j'avais été moins têtue, je n'aurais pas quitté la maison et eu cette vie merveilleuse. A Guéret d'abord, où j'allumais les feux au lycée de filles. Je déteste le soir, j'adore le matin. Puis à Dun-sur-Auron, où je faufilais les chemises à l'ouvroir[1] pour les sœurs. Je déteste le diable, j'adore Dieu.

Puis ici, où je suis plongeuse et où j'ai l'après-midi du jeudi libre. J'adore la liberté, je déteste l'esclavage. Etre plongeuse à Paris, cela n'a l'air de rien. Le mot séduit. Il est beau. Et cela semble tout. Mais qui a plus de relations qu'une plongeuse, à l'office, à la terrasse, sans compter que parfois je double le vestiaire, et moi je n'aime pas beaucoup les femmes, j'adore les hommes. Eux n'en savent rien. Jamais je n'ai dit à l'un d'eux que je l'aimais. Je ne le dirai qu'à celui que j'aimerai vraiment.(...)

Car il viendra, il n'est plus loin. Il ressemble à ce jeune homme sauvé des eaux. A le voir en tout cas le mot gonfle déjà ma bouche, ce mot que je lui répéterai sans arrêt jusqu'à la vieillesse, sans arrêt, qu'il me caresse ou qu'il me batte, qu'il me soigne ou qu'il me tue. Il choisira. J'adore la vie. J'adore la mort.

UNE VOIX. — La plongeuse !
IRMA, *sortant la tête de son rêve.* — La voilà !

Jean GIRAUDOUX
Extrait de *La Folle de Chaillot*

1. *Ouvroir:* Atelier de charité où des personnes bénévoles font des « ouvrages de dames » pour les pauvres ou des ornements d'église.

textes

CANEVAS DE JEUX DE RÔLES

CANEVAS 1

Une jeune fille a acheté une robe. Elle demande à une amie ce qu'elle en pense.

— Son amie critique son achat.
— La jeune fille explique que sa robe est à la mode.
— Son amie critique la couleur et la forme.
— La jeune fille dit que cette couleur lui va bien.
— Son amie critique le rapport qualité-prix.
— La jeune fille se défend.

CANEVAS 2

Deux étudiants A et B apprennent le français dans leur pays d'origine et comparent les conditions d'apprentissage en France et chez eux. A est pour l'apprentissage en France et B pour l'apprentissage dans son pays.

— B demande à A s'il a l'impression qu'il fait des progrès en français.
— A répond et justifie sa réponse (il est pour la communication et les contacts linguistiques).
— B est de l'avis contraire. Ses arguments sont :
- l'importance de la méthode,
- le fait que les contacts avec les Français sont difficiles, surtout à Paris.

— A répond avec l'argument suivant : l'apprentissage dépend de l'envie d'apprendre.
— B réplique à sa façon.

CANEVAS 3

Trois élèves d'un cours de langue comparent et apprécient divers moyens d'apprentissage du français. Chacun a sa ou ses technique(s) favorite(s) :

- La répétition.
- Le travail en groupes.
- La correction.
- Les jeux de rôles.
- Apprendre des règles de grammaire.
- Prendre des notes.
- Les activités de production libre.

CANEVAS 4

A entre dans un magasin et demande un séchoir à cheveux ou un rasoir électrique.

— La vendeuse lui montre ce qu'elle a.
— A explique qu'il veut un appareil léger et facile à manier.
— La vendeuse répond.
— A dit qu'il veut un appareil en 110 volts.
— La vendeuse dit qu'on n'en fait plus.
— A n'est pas content.
— La vendeuse explique que, maintenant, tout est en 220 volts.
— A accepte ses explications et sort sans acheter.

CANEVAS 5

Un jeune couple entre dans une agence de location de voitures.

— Une employée s'adresse à eux.
— L'homme dit ce qu'il cherche.
— L'employée demande quelle sorte de voiture il désire.
— Il répond.
— Sa femme n'est pas d'accord, elle préfère une voiture de luxe.
— L'employée demande pour quand et pour combien de temps ils veulent louer la voiture.
— Ils répondent et demandent les tarifs.
— L'employée donne le prospectus.
— L'homme se décide pour une petite voiture à embrayage automatique.
— L'employée répond qu'il n'y en a pas à la date choisie.
— Il prend une décision.
— En sortant, la femme reproche à son mari d'être « radin » (avare).

ACTIVITÉS DE PRODUCTION LIBRE

COMMENT APPRENEZ-VOUS ?

Questionnaire à remplir par groupes à partir de la pratique de la méthode ARCHIPEL.

1. Quelle activité individuelle ou collective vous permet le plus d'apprendre à mémoriser ?
2. Quelle activité vous permet de vous exprimer à l'oral ?
3. Comment et à quel moment avez-vous l'impression d'étudier la grammaire ?
4. Quelle est la meilleure façon pour vous de corriger une faute ?
5. Qu'est-ce qui est le plus important pour vous : exprimer en parlant beaucoup et en faisant des fautes, ou parler moins mais plus correctement ?
6. Pensez-vous qu'il y a un rapport entre la correction des fautes en classe et l'amélioration de votre expression orale ?

QUI ADMIREZ-VOUS LE PLUS ?

QUESTIONNAIRE

1. Quel(le) est pour vous, le meilleur acteur ou la meilleure actrice ?
   Pourquoi ?
2. Quelle est la personne la plus courageuse ?
3. Quel est l'homme de sciences le plus important ?
4. Quel est le personnage historique le plus important ? (Celui ou celle qui a fait changer le cours de l'histoire) ?
5. Que(le) est l'homme (la femme) qui a joué ou qui joue le rôle le plus important dans les sciences humaines ou la littérature ?
6. Quelle est la personne qui a joué le rôle le plus important dans la religion ?

EXERCICES A CHOIX MULTIPLES

Voici trois phrases. Une seule correspond à la situation. Dites si c'est la première, la deuxième ou la troisième.

SITUATION 2
L'ASPIRATEUR

1. Le représentant vend une valise.
   Le représentant vend une machine de précision.
   Le représentant vend un appareil ménager.
2. L'appareil est très lourd.
   L'appareil est très léger.
   L'appareil est dangereux.
3. Le représentant reste une ou deux minutes.
   L'aspirateur nettoie en une ou deux minutes.
   Le représentant dit qu'il en a pour une ou deux minutes.
4. L'appareil coûte six cents francs.
   L'appareil coûte très cher.
   L'appareil coûte cinq cents francs.
5. La dame achète un aspirateur.
   La dame a déjà un aspirateur.
   La dame ne veut pas d'aspirateur.

SITUATION 5
LE CHASSEUR DE TÊTES

1. L'assistant du chef du personnel actuel part à Paris.
   Le chef du personnel n'est pas satisfait de son assistant actuel.
   L'assistant actuel prend sa retraite.
2. Pour le chef du personnel, le plus important ce sont les diplômes.
   Pour le chef du personnel, le plus important c'est l'expérience.
   Pour le chef du personnel, le plus important c'est la jeunesse.
3. Le chasseur de têtes propose d'abord quelqu'un qui a un diplôme d'une grande école.
   Le chasseur de têtes lui propose quelqu'un qui a beaucoup d'expérience.
   Le chasseur de têtes n'a personne à proposer.
4. Le deuxième candidat convient mieux parce qu'il est plus jeune.
   Le deuxième candidat convient mieux parce qu'il a plus de diplômes.
   Le deuxième candidat convient mieux parce qu'il a plus d'expérience.

SITUATION 3
PROJETS D'AVENIR

1. La lycéenne veut faire médecine.
   Le lycéen veut faire des études d'ingénieur.
   La lycéenne veut faire du droit.
2. Les avocats gagnent mieux leur vie que les médecins.
   Les avocats gagnent moins bien leur vie que les médecins.
   Les avocats ne gagnent pas bien leur vie.
3. Les médecins trouvent plus facilement du travail que les avocats.
   Les avocats trouvent plus facilement du travail que les médecins.
   En ce moment, il n'y a pas de chômage.
4. Les études de droit sont aussi longues que celles de médecine.
   Elles sont plus longues que les études de médecine.
   Elles sont moins longues que les études de médecine.

TEXTES DES DIALOGUES

SITUATION 1
PUBLICITE N° 1 : ROBOT LAVE PLUS BLANC !

A la télévision.

Le présentateur : Voilà la chemise de Paul.
Elle est lavée avec *Robot.*
Elle est blanche, elle est très blanche.
Elle est plus blanche que votre chemise Monsieur.
Robot lave plus blanc !

Jeannot: Maman, regarde, mes chaussettes ! Ton savon lave moins blanc que *Robot !*

SITUATION 1.
PUBLICITÉ N° 2 : S.I.B.,
LA CUISINE LA PLUS FONCTIONNELLE

A la télévision.

Le présentateur: Madame, vous méritez le mieux.
C'est pourquoi *S.I.B.* vous offre :
Carrelages et éléments.
La cuisine la plus fonctionnelle !
La salle de bains la plus belle !
Voilà *S.I.B.*
S.I.B. est pour vous !

SITUATION 2
L'ASPIRATEUR

Dans un appartement

Le représentant: Bonjour, Madame.

La dame: Bonjour, Monsieur.

Le représentant: Je me présente : Anatole Lesur, représentant.
J'ai ici dans cette valise, tout ce qu'il vous faut.
L'appareil le plus léger, regardez, un poids plume.
Le plus maniable et sans risque, aucun risque.
L'appareil qui va dans les coins. Regardez, touchez.
L'appareil le plus étudié pour aider les ménagères, et vous, Madame, également. Etudié pour nettoyer tout et partout en un minimum de temps. Une seconde, une minute, deux minutes, ouf, ça y est ! Terminé, la poussière, envolée ! Aussi rapide que Concorde, aussi sûr qu'une machine de précision, aussi élégant qu'une robe de Dior. Votre aspirateur, Madame, le voilà pour cinq cents francs seulement. L'appareil le plus pratique et le meilleur marché.

La dame: Merci Monsieur, merci. Mais, mon mari, qu'est-ce qu'il fera alors ?...

SITUATION 3
PROJETS D'AVENIR

Dans une bibliothèque

Le lycéen: Qu'est-ce que tu veux faire après le bac?

La lycéenne: Je veux faire des études de médecine; et toi?

Le lycéen: Moi, je veux faire du droit, c'est moins long.

La lycéenne: Qu'est-ce que tu veux être: juriste? Avocat? Magistrat?

Le lycéen: J'aimerais bien être avocat.

La lycéenne: Avocat, c'est difficile maintenant. Si tu fais médecine, tu as plus de chance d'avoir un boulot sûr et puis on gagne mieux sa vie.

Le lycéen: Tu sais, avec le chômage maintenant, on n'est jamais sûr de rien. Et puis moi, je veux faire ce qui me plaît.

La lycéenne: Malheureusement, on ne peut pas toujours faire ce qu'on aime.

Le lycéen: Tu parles comme mon père!

SITUATION 4
J'AI CHANGÉ DE VOITURE

Dans la rue

La dame: Tiens, vous avez changé de voiture?

Le monsieur: Oui, l'autre était très vieille.

La dame: Vous êtes content de celle-là?

Le monsieur: Oui, elle est plus spacieuse. Elle a l'embrayage automatique, c'est plus facile à conduire.

La dame: Elle braque bien?

Le monsieur: Moins bien que l'autre. Elle est plus large.

La dame: Ça, c'est ennuyeux en ville.

Le monsieur: Elle a un avantage, c'est qu'elle consomme moins: 6 litres au 100.

La dame: Et elle tient bien la route?

Le monsieur: Beaucoup mieux que l'autre. Elle est jolie, vous ne trouvez pas?

La dame: Oui, « elle est pas » mal; mais je préfère la mienne. Je la gare où je veux.

SITUATION 5
LE CHASSEUR DE TÊTES

Dans un bureau de cadre

Le chef du personnel: Oui, c'est ça, je cherche un assistant, un informaticien, quelqu'un qui ait de l'expérience.

Le chasseur de têtes: Vous n'êtes pas content de votre assistant actuel?

Le chef du personnel: Si, mais il est muté au siège à Paris.

Le chasseur de têtes: Ah bon. Vous voulez quelqu'un de jeune, quelqu'un qui a des diplômes?

Le chef du personnel: Pour moi, ce qui est le plus important, c'est l'expérience, mais il faut un minimum de diplômes.

Le chasseur de têtes: Je crois que j'ai quelqu'un qui vous convient. Il sort des Arts et Métiers. Il a un peu d'expérience.

Le chef du personnel: Il n'est pas trop jeune pour le poste?

Le chasseur de têtes: En effet, il est peut-être un peu jeune. J'en connais un autre qui est plus âgé et qui a plus d'expérience.

Le chef du personnel: Qu'est-ce qu'il a comme diplômes?

Le chasseur de têtes: Il est ingénieur.

Le chef du personnel: Alors, il conviendrait mieux?

Le chasseur de têtes: Oui, je crois, et de plus, il a un contact très facile.

Le chef du personnel: On verra. Envoyez-le-moi.

Le chasseur de têtes: Entendu!

SITUATION 6
LAQUELLE EST LA PLUS BELLE?

Dans un appartement

Jacques: Regarde cet album!

Guillaume: Oh! « Dis donc »!

Jacques: Elles sont belles, hein?

Guillaume: Je te crois! Superbes!

Jacques: Tu as vu Garbo?

Guillaume: Ah, elle est merveilleuse!

Jacques: Tu as vu ses yeux? C'est pour ça qu'on l'appelait « La Divine ».

Guillaume: Et celle-là aussi, elle est belle, hein? Regarde!

Jacques: Ava Gardner?

Guillaume: Oui, elle est ... magnifique!

Jacques: Moi, elle me plaît moins...

Guillaume: Tu préfères celle-là? On dirait une petite fille. Elle a l'air naïf.

Jacques: Faussement naïve... Un peu coquine... Ce serait plutôt mon type!

Guillaume: Ton bouquin « c'est pas » un livre, c'est un paradis!

Jacques: Ce ne sont que des images pourtant...

Guillaume: Non, pas des images, des mythes, « mon vieux », des mythes!

EXERCICES

exercices intonatifs

EXERCICE 1
EXCLAMATION

— Bonjour !
— Salut !
— Bravo !
— Merci !
— Oui !
— D'accord !

EXERCICE 2
INTERROGATION

— Vous habitez Paris ?
— Vous n'avez pas vu Jacques ?
— Vous fumez ?
— C'est pour moi ?
— Tu as le téléphone ?
— Il est « sympa ? »

EXERCICE 3
INTERROGATION

— Où est-ce que vous habitez ?
— Combien gagnez-vous ?
— Avec qui est-ce que vous déjeunez ?
— Comment est-ce que vous rentrez chez vous ?
— Qu'est-ce que vous faites ?
— Qui est-ce ?

EXERCICE 4
INTERROGATION

— Tu le connais ?
— Est-ce que tu le connais ?

— C'est ton voisin ?
— Est-ce que c'est ton voisin ?

— Il est sympa ?
— Est-ce qu'il est sympa ?

— Il est facteur ?
— Est-ce qu'il est facteur ?

EXERCICE 5
INTERROGATION

— Elle s'occupe des enfants ?
— Qui s'occupe des enfants ?

— Vous habitez rue Lhomond ?
— Où est-ce que vous habitez ?

— Vous voulez le voir ?
— Est-ce que vous voulez voir Jacques ?

— Tu pleures ?
— Pourquoi pleures-tu ?

— Vous demandez Marie ?
— Qui demandez-vous ?

EXERCICE 6
ORDRE

— Ne quittez pas !
— Ne coupez pas !
— Ne fumez pas tant !
— Ne me laissez pas seule !
— Ne parlez pas tant !
— Ne regardez pas cette « idiotie » !
— Ne me demandez pas ça !

EXERCICE 7
INTERROGATION

— Je pourrais vous poser quelques questions ?
— Est-ce que je peux vous poser quelques questions ?

— Vous travaillez en banlieue ?
— Où est-ce que vous travaillez ?

— Vous avez une profession ?
— Quelle est votre profession ?

— Vous rentrez chez vous en autobus ?
— Comment est-ce que vous rentrez chez vous ?

— Combien gagnez-vous ?
— Vous gagnez combien ?

EXERCICE 8
RECOMMANDATION

— Ne la perdez pas !
— N'hésitez pas !
— Faites attention !
— Ne la cassez pas !
— N'allez pas trop vite !
— Attention !
— Dépêchez-vous !
— Écoutez-la !

EXERCICE 9
LIAISON ENTRE DEUX INTONATIONS

— Vous voulez des pièces ? Demandez à la caisse.
— Ne prenez pas ce téléphone. Prenez l'autre.
— Vous cherchez la poste ? Venez avec moi !
— Vous n'avez pas votre billet ? Regardez bien !
— Tu ne trouves pas tes clés ? Regarde dans tes poches.
— Attention ! Regarde devant toi !

EXERCICE 10
INDIGNATION

— Comment ? Le steak est dur ?
— Ils sont fatigants, ces enfants !
— Ce bruit, c'est infernal !
— Le racisme, c'est révoltant !
— « J'en ai marre » de vos critiques !
— Je suis furieux contre lui !

EXERCICE 11
ADMIRATION

— Tu as une moto !
— Vous travaillez chez Dior !
— Vous fumez des cigares !
— Vous voyagez en Concorde !
— Vous avez une Alpine Renault !
— Du champagne ? Formidable !

EXERCICE 12
DOUTE

— Ça m'étonnerait beaucoup... !
— Ils ne sont pas mariés... ?
— Paul est venu... ?
— Elle n'est pas Française... ?
— Elle est dans la cuisine... !
— Il a de l'argent... ?

EXERCICE 13
INTERROGATION

— Tu peux venir une minute ?
— Je peux te demander quelque chose ?
— Tu as son numéro de téléphone ?
— Monsieur Julien, c'est bien ici ?
— Vous avez l'adresse de François ?
— Vous ne voulez pas m'aider ?

EXERCICE 14
INTERROGATION — PHRASE SEGMENTÉE

— Tu l'as, la clé ?
— Tu lui as demandé, à Pierre ?
— Oh mon Dieu, le dentiste, tu l'as oublié ?
— Vous les avez, les cartes ?
— Tu l'as postée, ma lettre ?
— Tu lui as parlé, à Marie ?

EXERCICE 15
EMPHASE

— Il est petit, il est minuscule !
— Il est gentil, il est adorable !
— Elle est vraiment odieuse !
— Ils sont « vachement sympas ! »
— Elle est coiffée « comme c'est pas possible » !
— Vous conduisez « rudement » bien !

EXERCICE 16
DOUTE

— Ça m'étonnerait beaucoup qu'il vienne !
— Cela m'étonne ce que tu dis là !
— Je ne pense pas que ce soit vrai.
— Tu trouves qu'elle est intelligente ?
— Je ne suis pas sûr d'arriver à l'heure.
— Je me demande si c'est possible !

EXERCICE 17
ADMIRATION

— Mon Dieu, ce qu'elle est belle !
— Je meurs d'envie d'y aller !
— Elle a de la chance d'aller en Egypte !
— Vous alors, on peut dire que vous avez eu de la chance !
— Je l'admire beaucoup d'avoir eu le courage de faire ça !
— Elle est magnifique, cette exposition !
— Ça me fait très envie, je vais y aller !
— Il est tellement gentil, il le fera sûrement !

EXERCICE 18
APPRÉCIATION

— Hum... ! J'adore ça !
— Ah... ! Je déteste ça !
— Il est très bien !
— Je le trouve formidable !
— Je raffole de ça !
— Je suis fou d'elle !

EXERCICE 19
EVIDENCE

— Tu viens au cinéma avec moi à quatre heures ?
— Mais je ne peux pas, je travaille !

— Qu'est-ce que vous voulez ?
— Parler avec vous, vous êtes sympa !

— Mais où étais-tu ?
— Mais chez le dentiste, tu sais bien !

— Qu'est-ce qu'il y a ce soir, à la télévision ?
— « J'en sais rien », regarde toi-même !

— Vous pleurez, qu'est-ce que vous avez ?
— Je suis fatigué, c'est clair !

— Tu crois que la France va gagner le match ?
— La France va gagner, c'est évident !

EXERCICE 20
CONTRADICTION

— Mais si, je vous l'ai dit !
— Mais non, on avait rendez-vous à quatre heures !
— Mais si, j'étais là, voyons !
— Mais regardez-les vos tomates, elles sont vertes !
— Je t'ai déjà dit que je n'en avais pas envie !
— Mais si, vous le saviez !

EXERCICE 21
REPROCHE

— On avait rendez-vous à deux heures !
— Ça ne vous regarde pas !
— Ah, tu me l'as déjà dit !
— Avec toi, c'est toujours la même chose !
— Tu pourrais nous aider, quand même !
— Je n'ai jamais dit ça !

EXERCICE 22
CONTRADICTION

— Mais si, je vous avais prévenu !
— Mais si, je l'avais fermée !
— Mais non, je n'avais rien dit !
— Mais oui, je l'avais vu !
— Mais oui, je l'avais faite !
— Mais non, je ne l'avais pas dit !

EXERCICE 23
EXCUSE (S'EXCUSER)

— Je ne savais pas !
— Vous ne m'aviez pas prévenu !
— Il fallait me prévenir !
— Vous auriez dû me le dire !
— C'est vraiment désolant !
— Je suis vraiment navré !

EXERCICE 24
PARDONNER (EXCUSER)

— Ne vous inquiétez pas !
— Ne vous en faites pas !
— Oublions tout cela !
— N'en parlons plus !
— Ce n'est pas de votre faute !
— Ça ne fait rien !

EXERCICE 25
AGRESSIVITÉ

— Toi, tu peux parler !
— « C'est pas » pareil !
— Qu'est-ce que c'est que ça ?
— « Ah ben », bravo, je vous félicite !
— « Ah ben », vous vous êtes bien débrouillé !
— Ça, ça ne m'intéresse pas du tout !

EXERCICE 26
SUGGESTION (PROPOSER, CONSEILLER)

— Vous pourriez peut-être venir avec elle ?
— Pourquoi ne pas lui en parler ?
— Vous devriez venir avec nous !
— Il vaudrait mieux le lui dire.
— Vous feriez mieux de prendre un taxi.
— Pourquoi est-ce que tu ne viens pas ?

exercices auto-correctifs

EXERCICES FONCTIONNELS

NUMÉRO DE L'EXERCICE	FONCTION	EXEMPLE DE STRUCTURE
1	Décrire la personne et ses activités	Elle ne boit pas.
2	Décrire la personne et ses activités	Vous êtes Américain ?
3	Tutoyer	Tu te maries ?
4	Interroger sur l'heure	Vous travaillez à quelle heure ? A quelle heure travaillez-vous ?
5	Interroger sur le lieu	Tu habites où ? Où est-ce que tu habites ?
6	Interroger sur le lieu	Tu vas dîner où ? Où est-ce que tu vas dîner ?
7	Demander une permission	Je peux sortir ?
8	Demander de faire	Vous pouvez répéter ?
9	Interroger sur l'heure	Vous finissez à quelle heure ? A quelle heure est-ce que vous finissez ?
10	Répondre négativement	Je ne les connais pas.
11	Interroger sur l'existence d'un objet	Est-ce qu'il y a un ascenseur ? Il y a un ascenseur ?
12	Rapporter des paroles	Il demande s'ils acceptent les chiens.
13	Répondre négativement	Il n'y a pas d'ascenseur.
14	Rechercher un objet	Qu'est-ce que tu as fait de... ?
15	Exprimer l'incertitude	Je ne sais pas quoi faire.
16	Interroger sur les activités de la personne	Qui cherchez-vous ? Que cherchez-vous ?
17	Identité d'une action et d'un état	Moi aussi, j'ai fini.
18	Identité d'une action ou d'un état	L'autre ne marche pas non plus.
19	Exprimer l'ignorance	Je ne sais pas où il déjeune.
20	(Révision grammaticale)	(La jeune fille *du* train.) (Le collier *du* chien.)
21	Demander un objet	Vous avez un carnet de timbres ? Je voudrais un carnet de timbres.
22	Interroger sur le savoir, le vouloir, et le savoir-faire	Vous savez où est la rue Montmartre ?
23	Demander de ne pas faire	Ne réponds pas au téléphone.
24	Demander de ne pas faire	Ne prenez pas le steak, il est dur.
25	Vérifier une information négative	Vous n'avez pas de voiture ?
26	Répondre à une phrase négative	Si, il y en a un.
27	Interroger sur l'existence ou la nature de l'objet	Qu'est-ce que vous voulez comme menu ?
28	Rechercher une personne ou un objet	Vous n'avez pas vu mon chien ?
29	Dire de donner un objet	Donnez-m'en trois paquets.
30	Interroger sur la pratique d'un sport	Du patin ? Oui, j'en fais.
31	Interroger sur l'existence d'un objet	Du vin ? Oui, il en reste encore. Non, il n'en reste pas.
32	Interroger sur l'existence d'un objet	Un dictionnaire ? Oui, j'en ai un. Non, je n'en ai pas.

33	Interroger sur l'éventualité d'une action passée ...	Du piano ? Oui, j'en ai déjà fait. Non, je n'en ai jamais fait.
34	Rapporter des paroles	On demande à Pierre ce qu'il a comme voiture.
35	Interroger sur les goûts	Elle te plaît, cette femme ?
36	Apprécier les qualités	C'est l'aspirateur le plus pratique et le plus maniable.
37	Faire une comparaison	Elle est jolie comme un cœur.
38	Faire une comparaison	Cet aspirateur est aussi rapide que Concorde.
39	Caractériser une situation	Il cherche Denis.
40	Apprécier un objet ou une situation	Elle est plus belle la nuit. Cinq semaines, c'est mieux.
41	Déconseiller	N'écrivez pas tant.
42	Comparer des objets et des activités	Elle fait plus de droit que de comptabilité.
43	Conseiller et déconseiller	Ne pleurez pas.
44	Répondre par la négative	Je n'ai rien trouvé. Il n'y avait personne.
45	Exprimer la restriction	Je n'ai qu'un enfant.

EXERCICE 1. Niveau Unité 1.
DÉCRIRE LA PERSONNE ET SES ACTIVITÉS

Transformez à la forme négative.

Exemple : Elle boit.
• Elle *ne* boit *pas.*

1. Je parle à mon voisin.
2. Elle fume.
3. Il travaille dans les bureaux.
4. Je parle français.
5. J'habite New-York.
6. Je suis Grec.
7. Elle est mannequin.
8. Il est « prof » d'histoire.
9. La petite Sabine pleure beaucoup.
10. Christian est très bavard.

EXERCICE 2. Niveau Unité 1.
DÉCRIRE LA PERSONNE ET SES ACTIVITÉS

Interroger en disant *vous.*

Exemple : Il est Américain.
• Vous êtes Américain ?

1. Il est Grec.
2. Elle habite Paris.
3. Il fume.
4. Elle parle français.
5. Elle boit.
6. Elle visite Paris.
7. Il travaille à Paris.
8. Il est employé.

EXERCICE 3. Niveau Unité 1.
TUTOYER

Transformez en utilisant *tu.*
Exemple : Vous vous mariez ?
• Tu te maries ?

1. Vous connaissez mon voisin ?
2. Vous êtes Norvégien ?
3. Vous voulez une cigarette ?
4. Pourquoi pleurez-vous ?
5. Vous habitez où ?
6. Vous avez de beaux yeux, vous savez ?
7. Vous êtes « prof » ?
8. Vous parlez anglais ?

QUELQUES VERBES Niveau unité 2

A l'indicatif

TRAVAILLER
Je travaille
Tu travailles
Il, elle, on travaille
Nous travaillons
Vous travaillez
Ils, elles travaillent

SORTIR
Je sors
Tu sors
Il, elle, on sort
Nous sortons
Vous sortez
Ils, elles sortent

POUVOIR
Je peux
Tu peux
Il, elle, on peut
Nous pouvons
Vous pouvez
Ils, elles peuvent

VOULOIR
Je veux
Tu veux
Il, elle, on veut
Nous voulons
Vous voulez
Ils, elles veulent

FINIR
Je finis
Tu finis
Il, elle, on finit
Nous finissons
Vous finissez
Ils, elles finissent

ALLER
Je vais (à, au, à la, à l')
Tu vas
Il, elle, on va
Nous allons
Vous allez
Ils, elles vont

ÊTRE
Je suis
Tu es
Il, elle on est
Nous sommes
Vous êtes
Ils, elles sont

AVOIR
J'ai
Tu as
Il, elle, on a
Nous avons
Vous avez
Ils, elles ont

RÉPONDRE
Je réponds
Tu réponds
Il, elle, on répond
Nous répondons
Vous répondez
Ils, elles répondent

ATTENDRE
J'attends
Tu attends
Il, elle, on attend
Nous attendons
Vous attendez
Ils, elles attendent

A l'Impératif

Viens ! Entre ! Prends ! Ouvre !
Venez ! Entrez ! Prenez ! Ouvrez !

Donne-(moi) Tiens ! Va !
Donnez-(moi) Tenez ! Allez !

Ne pars pas ! N'oublie pas !
Ne partez pas ! N'oubliez pas !

EXERCICE 4. Niveau Unité 2.
INTERROGER SUR L'HEURE

Exemple : Demandez à une personne à quelle heure elle travaille.
- Tu travailles à quelle heure ?
- Vous travaillez à quelle heure ?
- A quelle heure travailles-tu ?
- A quelle heure travaillez-vous ?

1. Demandez à une personne à quelle heure elle déjeune.
2. Demandez à une personne à quelle heure elle finit.
3. Demandez à une personne à quelle heure elle rentre.
4. Demandez à une personne à quelle heure elle sort, le soir.
5. Demandez à une personne à quelle heure elle va au bistro.
6. Demandez à une personne à quelle heure elle arrive au bureau, le matin.

EXERCICE 5. Niveau Unité 2.
INTERROGER SUR LE LIEU

Posez des questions en utilisant *où.*

Exemple : J'habite à Paris.
- Tu habites où ?
- Où est-ce que tu habites ?
- Où habitez-vous ?
- Où habites-tu ?

1. Je travaille en banlieue, à Versailles.
2. Je déjeune au bistro.
3. D'habitude, je vais en vacances en Italie.
4. Le soir, je dîne à la maison.

EXERCICE 6. Niveau Unité 2.
INTERROGER SUR LE LIEU

Posez la question en utilisant *où.*

Exemple : Je vais dîner chez André.
- Tu vas dîner où ?
- Où est-ce que tu vas dîner ?
- Où vas-tu dîner ?
- Où allez-vous dîner ?

1. Je vais déjeuner à la cafétéria.
2. Je vais prendre un café au bistro.
3. Je vais téléphoner au café.
4. Je vais faire du ski à Val d'Isère.

EXERCICE 7. Niveau Unité 2.
DEMANDER UNE PERMISSION

Posez la question en utilisant *je peux.*

Exemple : Je sors.
- Je peux sortir ?

1. J'attends ici.
2. Je ferme la fenêtre.
3. Je vous pose une question.
4. J'ouvre la fenêtre.
5. Je téléphone chez vous ce soir.
6. Je viens avec vous.
7. Je laisse mes affaires dans la classe.

EXERCICE 8. Niveau Unité 2.
DEMANDER DE FAIRE

Posez la question en utilisant *vous pouvez.*

Exemple : Répétez !
- Vous pouvez répéter, s'il vous plaît ?

1. Ecrivez au tableau !
2. Répétez la phrase au magnétophone !
3. Expliquez ce texte !
4. Arrêtez la classe quelques minutes !
5. Attendez une minute !
6. Répondez à ma question !

EXERCICE 9. Niveau Unité 2.
INTERROGER SUR L'HEURE.

Posez la question.

Exemple : Je finis à six heures.
- Vous finissez à quelle heure ?
- Tu finis à quelle heure ?
- A quelle heure est-ce que tu finis ?
- A quelle heure est-ce que vous finissez ?

1. Je vais au bureau à huit heures et demie.
2. Je finis à six heures moins dix.
3. Je déjeune à midi et demie.
4. Je vais au cinéma à huit heures moins le quart.
5. Je sors à six heures et quart.
6. Je rentre à sept heures vingt.
7. Je veux partir à minuit.
8. Je me marie à midi.

EXERCICE 10. Niveau Unité 2.
RÉPONDRE NÉGATIVEMENT

Exemple : Tes voisins, tu les connais ?
- Non, je ne les connais pas.

1. La prof d'histoire, tu la connais ?
2. Cet autobus, tu le prends ?
3. Ce coca-cola, tu le bois ?
4. Son numéro de téléphone, tu l'as ?
5. La clé, tu l'as ?
6. Mes lunettes de soleil, tu les veux ?

EXERCICE 11. Niveau Unité 3.
INTERROGER SUR L'EXISTENCE D'UN OBJET

Exemple : Vous demandez s'il y a un ascenseur.
• Il y a un ascenseur ?
• Est-ce qu'il y a un ascenseur ?

1. Vous demandez s'il y a un téléphone.
2. Vous demandez s'il y a un avion, le lundi matin.
3. Vous demandez s'il y a un métro près de la rue Mouffetard.
4. Vous demandez s'il y a une poste à côté.
5. Vous demandez s'il y a des frites.
6. Vous demandez s'il y a quelque chose à payer.
7. Vous demandez s'il y a un arrêt d'autobus.
8. Vous demandez s'il y a un menu touristique.

EXERCICE 12. Niveau Unité 3.
RAPPORTER DES PAROLES

Transformez la question en utilisant le verbe *demander*.

Exemple : Est-ce que vous acceptez les chiens ?
• Il demande s'ils acceptent les chiens.

1. Est-ce qu'on peut prendre des photos ?
2. Est-ce que Philippe est là ?
3. Est-ce que vous êtes libres mardi tous les trois ?
4. Est-ce que vous m'attendez pour déjeuner ?
5. Est-ce que tu es occupé ?
6. Est-ce que tu as deviné ?
7. Est-ce que vous avez une table libre pour quatre personnes ?
8. Est-ce que vous ouvrez le dimanche ?
9. Est-ce qu'il y a une station de métro près de chez vous ?

EXERCICE 13. Niveau Unité 3.
RÉPONDRE NÉGATIVEMENT

Exemple : Il y a un ascenseur ?
• Non, il n'y a pas d'ascenseur.

1. Est-ce qu'il y a un téléphone ?
2. Il y a un avion, le lundi matin ?
3. Est-ce qu'il y a un métro, près de la rue de la Sorbonne ?
4. Il y a une poste, à côté d'ici ?
5. Est-ce qu'il y a des frites ?
6. Il y a un supplément (à payer) ?

EXERCICE 14. Niveau Unité 3.
RECHERCHER UN OBJET

Posez la question en utilisant la forme *Qu'est-ce que tu as fait de...*

Exemple : Les billets d'avion ? Ils sont sur le bureau.
• Qu'est-ce que tu as fait des billets d'avion ?

1. Les passeports ? C'est moi qui les ai.
2. Les clés ? Elles sont dans le tiroir du bureau.
3. La pince ? Je l'ai oubliée.
4. Mon ticket ? Je l'ai perdu.
5. La valise ? Je l'ai laissée à la gare.
6. La copine de Christine ? Je l'ai laissée au Quartier Latin.
7. Le chien ? « Ben », je ne sais pas.
8. Ton livre ? Euh, eh bien, je l'ai prêté.

EXERCICE 15. Niveau Unité 3.
EXPRIMER L'INCERTITUDE

Répondez aux questions en utilisant *Je ne sais pas quoi...*

Exemple : Qu'est-ce que vous faites ce soir ?
• Je ne sais pas quoi faire.

1. Qu'est-ce que vous prenez ?
2. Qu'est-ce que vous visitez ?
3. Qu'est-ce que vous répondez ?
4. Qu'est-ce que vous voulez manger ?
5. Qu'est-ce que tu lui écris ?
6. Qu'est-ce que vous voulez boire ?

EXERCICE 16. Niveau Unité 4
INTERROGER SUR LES ACTIVITÉS DE LA PERSONNE

Posez la question avec *qui, qu'est-ce que* ou *que.*

Exemple : Je cherche mon chien.
• Qu'est-ce que vous cherchez ?
• Que cherchez-vous ?

Je cherche Philippe.
• Qui cherchez-vous ?

1. Je fume des blondes.
2. Je fais de l'informatique.
3. J'attends un ami.
4. Je réponds non, non et non, à son invitation.
5. Je mange du poisson, c'est très bon.
6. Je regarde la jeune fille blonde, là-bas, près de la fenêtre.
7. Je regrette le « prof » qui est parti.
8. Je vous conseille le docteur Renard.

QUELQUES VERBES. Niveau Unité 4.

APPRENEZ A CONJUGUER QUELQUES VERBES AU PASSÉ COMPOSÉ :

EMPORTER

J'emporte	J'ai emporté	Je n'ai pas emporté
Tu emportes	Tu as emporté	Tu n'as pas emporté
Il, elle, on emporte	Il, elle, on a emporté	Il, elle, on n'a pas emporté
Nous emportons	Nous avons emporté	Nous n'avons pas emporté
Vous emportez	Vous avez emporté	Vous n'avez pas emporté
Ils, elles emportent	Ils, elles ont emporté	Ils, elles n'ont pas emporté

BOIRE

Je bois	J'ai bu	Je n'ai pas bu
Tu bois	Tu as bu	Tu n'as pas bu
Il, elle, on boit	Il, elle, on a bu	Il, elle, on n'a pas bu
Nous buvons	Nous avons bu	Nous n'avons pas bu
Vous buvez	Vous avez bu	Vous n'avez pas bu
Ils, elles boivent	Ils, elles ont bu	Ils, elles n'ont pas bu

PRENDRE

Je prends	J'ai pris	Je n'ai pas pris
Tu prends	Tu as pris	Tu n'as pas pris
Il, elle, on prend	Il, elle, on a pris	Il, elle, on n'a pas pris
Nous prenons	Nous avons pris	Nous n'avons pas pris
Vous prenez	Vous avez pris	Vous n'avez pas pris
Ils, elles prennent	Ils, elles ont pris	Ils, elles n'ont pas pris

AVOIR

J'ai	J'ai eu	Je n'ai pas eu
Tu as	Tu as eu	Tu n'as pas eu
Il, elle, on a	Il, elle, on a eu	Il, elle, on n'a pas eu
Nous avons	Nous avons eu	Nous n'avons pas eu
Vous avez	Vous avez eu	Vous n'avez pas eu
Ils, elles ont	Ils, elles ont eu	Ils, elles n'ont pas eu

ÊTRE

Je suis	J'ai été	Je n'ai pas été
Tu es	Tu as été	Tu n'as pas été
Il, elle, on est	Il, elle, on a été	Il, elle, on n'a pas été
Nous sommes	Nous avons été	Nous n'avons pas été
Vous êtes	Vous avez été	Vous n'avez pas été
Ils, elles sont	Ils, elles ont été	Ils, elles n'ont pas été

EXERCICE 17. Niveau Unité 4
EXPRIMER L'IDENTITÉ D'UNE ACTION OU D'UN ÉTAT

Complétez les énoncés avec *aussi.*

Exemple 1 : J'ai fini.
- Nous aussi, nous avons fini.
- Nous avons fini, nous aussi.

Exemple 2 : Je prend un steak-frites.
- Janine aussi prend un steak-frites.
- Janine prend un steak-frites, elle aussi.

1. Je vais en France pour travailler.
Lui aussi,...
2. Il travaille à la poste.
Moi aussi,...
3. Marie, elle a de beaux yeux.
Vous aussi,...
4. Vous vous mariez.
Françoise,...
5. Christian a des lunettes.
Son amie,...
6. Vous voulez lui parler ?
Moi aussi,...
7. Vous vous appelez Sylvie.
Moi aussi,...
8. Tu habites rue Lhomond ?
Ma mère,...
9. Vous déjeunez à la cantine.
Nous aussi,...
10. Elle voudrait un café.
Moi aussi,...

EXERCICE 18. Niveau Unité 3
EXPRIMER L'IDENTITÉ D'UNE ACTION OU D'UN ÉTAT.

Complétez les énoncés avec *non plus.*

Exemple : Jean ne prend pas sa voiture.
- Pierre ne prend pas sa voiture, lui non plus.

1. Il n'a pas le temps.
..., elle non plus.
2. Je ne sais pas son numéro de téléphone.
..., moi non plus.
3. Jean ne fume pas.
..., elle non plus.
4. François ne fait rien à l'école.
..., lui non plus.
5. La porte d'entrée ne ferme pas.
La porte de la cuisine...
6. Patrick n'est pas arrivé à l'heure.
..., vous non plus.
7. Je n'ai pas voulu répondre aux questions de l'enquête.
Les autres étudiants...
8. On n'a pas pu monter dans le métro.
..., nous non plus.

EXERCICE 19. Niveau Unité 4.
EXPRIMER L'IGNORANCE

Répondez que vous ne savez pas.

Exemple : C'est où, le Palace ?
- Je ne sais pas où c'est.

Où est-ce qu'il déjeune ?
- Je ne sais pas où il déjeune.

1. Avec qui se marie-t-elle ?
2. Où est la mère de la petite Sabine Dupuis ?
3. Tu sais où habite Hélène ?
4. Où est-ce qu'il travaille, le grutier ?
5. A quelle heure est-ce que la photographe finit ?
6. Comment Pierre rentre-t-il chez lui ?
7. Combien gagne le programmeur ?
8. Pour Bordeaux, en seconde, c'est combien ?
9. Il est venu quand, Pierre ?
10. Quand est-ce qu'il est sorti, Jean ?

RÉVISION GRAMMATICALE EXERCICE 20.
Niveau Unité 3.

Complétez les énoncés par *de, du, de la, de l', des.*

Exemple : • La jeune fille *du* train.

1. Le voisin ... Jacques Durand.
2. Le collier ... chien.
3. Les lunettes ... Christian.
4. Le chien ... jeune homme.
5. Le nom de famille ... Norvégien.
6. La maman ... petite fille.
7. L'adresse ... petite fille.
8. Le nom ... touriste grec.
9. La réception ... hôtel.
10. L'entrée ... magasin.
11. La profession ... jeune fille qui travaille chez Courrèges.
12. La voiture ... programmeur.
13. Les copains ... photographe de mode.
14. Le chantier ... rue des Ecoles.
15. Le restaurant ... rue Médéric.
16. La cantine ... école.
17. La profession ... travailleur immigré.
18. Le car ... usine.
19. La télévision ... hôtel.
20. Le prix ... billet.
21. Le ticket ... chaussures chez le cordonnier.
22. Le steak ... Janine.
23. Les clés ... voiture du visiteur du musée.
24. Le bureau ... renseignements.

EXERCICE 21. Niveau Unité 4.
DEMANDER UN OBJET

Posez la question en utilisant les constructions suivantes.

Exemple : Demandez un carnet de timbres.
- Vous avez un carnet de timbres ?
- Je voudrais un carnet de timbres.
- Un carnet de timbres, s'il vous plaît.
- Vous auriez un carnet de timbres ?
- Pourriez-vous me donner un carnet de timbres ?

1. Demandez la monnaie de dix francs.
2. Demandez un stylo à une personne.
3. Demandez une glace vanille-chocolat.
4. Demandez un billet aller en seconde pour Versailles.
5. Demandez la carte des vins au garçon du restaurant.
6. Demandez le menu à la serveuse.
7. Demandez des pastilles pour la toux.

EXERCICE 22. Niveau Unité 4.
INTERROGER SUR LE SAVOIR, LE VOULOIR ET LE SAVOIR-FAIRE.

Posez les questions.

Exemple : Demandez à un ami s'il connaît un bon restaurant.
- Est-ce que tu connais un bon restaurant ?
- Tu connais un bon restaurant ?

1. Demandez à un employé de la gare s'il connaît les horaires de trains pour Lyon.
2. Demandez à la caissière d'un café si elle sait où se trouve la rue Montmartre.
3. Demandez à des amis s'ils connaissent une boîte « sympa » au Quartier Latin.
4. Demandez à un ami s'il sait où on peut trouver des appareils de photos.
5. Demandez à vos amis s'ils veulent boire quelque chose.
6. Demandez à un collègue s'il sait se servir d'une machine à calculer.
7. Demandez à votre copain s'il veut bien aller au cinéma.
8. Demandez à une amie si elle sait conduire.

EXERCICE 23. Niveau Unité 4.
DEMANDER DE NE PAS FAIRE.

Mettez à l'impératif négatif en tutoyant.

Exemple : (Répondre) au téléphone, nous n'avons pas le temps.
- Ne réponds pas au téléphone, nous n'avons pas le temps.

1. (Venir) le matin, je ne suis pas là.
2. (Aller) dans ce bistro, il n'est pas « sympa ».
3. (Sortir), j'ai quelque chose à te dire.
4. (Prendre) l'autobus, prends le métro.
5. (Regretter) Paris, ta banlieue est très jolie.
6. (Pleurer), on va appeler ta maman.

EXERCICE 24. Niveau Unité 4.
DEMANDER DE NE PAS FAIRE.

Mettez à l'impératif négatif, en vouvoyant.

Exemple : (Prendre) le steak, il est dur.
- Ne prenez pas le steak, il est dur.

1. (Manger) cet œuf, il n'est pas frais.
2. (Choisir) trop vite, il y a d'autres magasins.
3. (Perdre) votre numéro, il me le faut.
4. (Regarder) cet horaire, il est périmé.
5. (Couper), je voudrais parler à Monique Couteaux.
6. (Laisser) votre appareil de photos ici, on va vous le voler.

EXERCICE 25. Niveau Unité 4.
VÉRIFIER UNE INFORMATION NÉGATIVE

Posez la question en utilisant la forme négative.

Exemple : Vous avez une voiture ?
- Vous n'avez pas de voiture ?

1. Il y a un train le matin ?
2. Vous avez vingt francs ?
3. Vous les avez en 43 ?
4. Il y a autre chose ?
5. Vous avez quelque chose de moins cher ?
6. Vous avez des antibiotiques ?
7. Vous déjeunez ?
8. Vous sortez ?
9. Vous travaillez aujourd'hui ?
10. Vous prenez le métro ?

EXERCICE 26. Niveau Unité 5.
RÉPONDRE A UNE PHRASE NÉGATIVE

Répondez en utilisant *si* (au lieu de *oui).*

Exemple : Il n'y a pas de train, le matin ?
- Si, il y en a un.

1. Vous n'avez pas vingt francs ?
2. Il n'y a pas de secondes dans ce train ?
3. Vous ne les avez pas en 43 ?
4. Il n'y a pas autre chose ?
5. Vous n'avez pas votre ticket ?
6. Vous n'avez rien de moins cher ?
7. Vous n'avez pas d'antibiotiques ?
8. Vous ne déjeunez pas ?
9. Vous ne sortez pas ?
10. Vous ne prenez pas le métro ?

EXERCICE 27. Niveau Unité 6.
INTERROGER SUR L'EXISTENCE OU LA NATURE DE L'OBJET

Posez la question.

Exemple : Demandez-lui ce qu'elle veut comme menu.
• Qu'est-ce que vous voulez comme menu ?

1. Demandez-lui ce qu'elle connaît comme jolies boutiques de vêtements à Paris.
2. Demandez-lui ce qu'elle a acheté comme cadeau.
3. Demandez-lui ce qu'elle a choisi comme dessert.
4. Demandez-lui ce qu'il y a comme glaces.
5. Demandez-lui ce qu'il y a comme autobus dans le quartier.
6. Demandez-lui ce qu'il y a comme train pour Marseille.

EXERCICE 28. Niveau Unité 6.
RECHERCHER UNE PERSONNE OU UN OBJET

Demandez en tutoyant ou en vouvoyant, selon les situations.

Exemple : Vous cherchez votre chien.
• Vous parlez à un passant : « Vous n'avez pas vu mon chien ? »
• Vous parlez à votre mère : « Tu n'as pas vu mon chien ? »

1. Vous cherchez vos clés de voiture (vous parlez à vos enfants).
2. Vous cherchez un enfant de quatre ans, aux cheveux longs, habillé en bleu (vous parlez à une vendeuse dans un grand magasin).
3. Vous avez perdu une valise beige avec les initiales P.R. (demandez aux renseignements).
4. Vous avez perdu votre stylo au bureau (vous parlez à votre voisine de bureau). C'est un stylo en or.
5. Vous cherchez un monsieur, grand, brun, avec une moustache (vous parlez à une collègue de bureau).

EXERCICE 29. Niveau Unité 5.
DIRE DE DONNER UN OBJET

Répondez aux questions en utilisant le pronom *en*.

Exemple : Combien voulez-vous de paquets de Gauloises ?
• Donnez m'en trois paquets.

1. Vous voulez encore de la viande ?
2. Combien voulez-vous de steaks hachés ?
3. Vous prendrez bien un petit Porto ?
4. Je vous mets combien de super ?
5. Sylvie, tu veux des bonbons ?
6. Il reste encore du vin. Vous en voulez ?

EXERCICE 30. Niveau Unité 5.
INTERROGER SUR LA PRATIQUE D'UN SPORT

Répondez aux questions en utilisant le pronom *en*.

Exemple : Tu fais du patin dans la rue ?
• Oui, j'en fais.
• Non, je n'en fais pas.

1. Tu fais de la danse depuis longtemps ?
2. Tu fais du bateau, l'été ?
3. Vous faites souvent de la planche à voile ?
4. Vos enfants font du sport, au lycée ?
5. Vous faites du handball, au lycée ?
6. Vous partez faire du ski, cette année ?

EXERCICE 31. Niveau Unité 5.
INTERROGER SUR L'EXISTENCE DE L'OBJET

Répondez aux questions suivantes en utilisant *en*.

Exemple : Est-ce qu'il reste du vin ?
• Oui, il en reste encore.
• Non, il n'en reste pas. (Ou : il n'y en a plus).

1. Est-ce qu'on trouve du vin italien en France ?
2. Comment, il ne reste plus de pain ?
3. Il y a du pétrole en France ?
4. Vous avez des vacances, l'hiver ?
5. Est-ce qu'elle est créative, est-ce qu'elle a des idées ?

MODÈLES DE CONSTRUCTIONS DU PRONOM *EN* :

Donnez-m'en un paquet.	*J'en veux un paquet.*
Donnez-m'en une tranche.	*J'en prendrai une tranche.*
Donnez-m'en 300 grammes.	*J'en prendrai 300 grammes.*
Donnez-m'en un verre.	*J'en prendrai un verre.*
Donnez-m'en un morceau.	*J'en voudrais un morceau.*
Donnez-m'en un peu.	*J'en prendrais un peu.*
Donnez-m'en dix.	*J'en voudrais dix.*
J'en prends.	*Je n'en prends pas.*
J'en prendrai.	*Je n'en prendrai pas.*
J'en ai pris.	*Je n'en ai pas pris.*
Je peux en prendre.	*Je ne veux pas en prendre.*

EXERCICE 32. Niveau Unité 5.
INTERROGER SUR L'EXISTENCE DE L'OBJET

Répondez aux questions suivantes en utilisant *en.*

Exemple : Vous avez un dictionnaire ?
• Oui, j'en ai un.
• Non, je n'en ai pas.

1. Est-ce qu'il y a un piano chez elle ?
2. Vous avez acheté un appartement ?
3. Et des chômeurs, il y en a combien ?
4. Ils ont encore des enfants à charge ?
5. Est-ce qu'elle est créative, est-ce qu'elle a des idées ?

EXERCICE 33. Niveau Unité 5.
INTERROGER SUR L'ÉVENTUALITÉ D'UNE ACTION PASSÉE

Répondez en remplaçant les mots par *en.*

Exemple : Vous avez déjà fait du piano ?
• Oui, j'en ai déjà fait.
• Non, je n'en ai jamais fait.

1. Vous avez déjà fait de la danse ?
2. Avez-vous déjà mangé des huîtres cuites ?
3. Est-ce que vous avez déjà fait de la planche à voile ?
4. Vous avez déjà fait du ski ?
5. Est-ce que vous avez déjà eu un chat ?
6. Est-ce que vous avez déjà eu une voiture ?

EXERCICE 34. Niveau Unité 6.
RAPPORTER DES PAROLES

Transformer les phrases suivantes en utilisant le verbe *demander.*

Exemple : Qu'est-ce que vous avez comme voiture, Pierre ?
• On demande à Pierre ce qu'il a comme voiture. On lui demande...

1. Marie, qu'est-ce que tu fais comme métier ?
2. François, qu'est-ce que vous parlez comme langues ?
3. Qu'est-ce que vous fumez comme cigarettes, Hélène ?
4. Qu'est-ce que vous avez comme heures de travail, Monsieur ?
5. Qu'est-ce que vous prenez comme entrée, Madame ?
6. Philippe, qu'est-ce que vous connaissez comme bons restaurants ?
7. Qu'est-ce que vous avez comme pièce d'identité, Madame ?
8. Pardon Madame, qu'est-ce qu'il y a comme autobus pour le Louvre ?

EXERCICE 35. Niveau Unité 6.
INTERROGER SUR LES GOÛTS

Vous posez la question en utilisant le verbe *plaire.*

Exemple : Vous demandez à un ami si cette femme lui plaît.
• Elle te plaît, cette femme ?

1. Vous demandez à un ami si votre voiture lui plaît.
2. Vous demandez à des amis si le dernier film de Verneuil leur plaît.
3. Vous demandez à une voisine si les nouveaux voisins lui plaisent.
4. Vous demandez à un garagiste si la nouvelle Citroën lui plaît.
5. Vous demandez à votre sœur si vos nouvelles chaussures lui plaisent.
6. Vous demandez à un enfant si les patins à roulettes que vous lui avez offerts lui plaisent.

EXERCICE 36. Niveau Unité 7.
APPRÉCIER LES QUALITÉS

Répondez aux phrases suivantes en utilisant *le plus.*

Exemple : Vous avez un aspirateur pratique et maniable ?
• C'est l'aspirateur le plus pratique et le plus maniable.

1. Ce sont des amis « sympas » pour faire un voyage, n'est-ce pas ?
2. Vous n'avez pas un manteau plus grand dans ce modèle ?
3. Il n'y a pas un film plus « marrant » à voir, cette semaine ?
4. Dites-moi, elle n'est pas très économique, votre machine ?
5. Cette couleur est trop foncée pour moi. Vous n'avez pas plus clair dans cette qualité ?
6. Vous la trouvez belle et élégante, cette actrice ? Pas moi !

EXERCICE 37. Niveau Unité 7.
FAIRE UNE COMPARAISON

Transformez les phrases suivantes en utilisant *comme* et vous retrouverez, ainsi, des expressions populaires.

Exemple : Votre fille est aussi jolie qu'un cœur.
• « Elle est jolie comme un cœur ».

1. Ce professeur est aussi ennuyeux que la pluie.
2. Cette jeune fille est aussi fraîche qu'une fleur.
3. Cet acteur est aussi beau qu'un dieu.
4. La photographe est aussi blonde que les blés.
5. Les Lenormand sont aussi pauvres que Job.
6. Tu es aussi belle que le jour.
7. Cette valise est aussi lourde qu'un âne mort.

EXERCICE 38. Niveau Unité 7.
FAIRE UNE COMPARAISON

Comparez les éléments des deux phrases en utilisant *aussi... que.*

Exemple : Cet aspirateur est rapide. Il est comme Concorde.
• Cet aspirateur est aussi rapide que Concorde.

1. Patrice est grand. Il est comme son frère.
2. Ce chat est tout noir. Il est comme le mien.
3. Elle est très blonde, Alix. Elle est comme une Suédoise.
4. Le deuxième fils de ce type est épatant. Il est comme le premier.
5. Cet exercice est très simple. Il est comme le précédent.
6. Ton petit bistro est très bien. Il est comme le mien.

EXERCICE 39. Niveau Unité 7.
CARACTÉRISER UNE SITUATION

Exemple : Où est Denis ?
• Il cherche Denis.

1. Vous n'avez pas vu mes lunettes ?
2. Catherine, tu connais Pierre ? Je te présente Pierre.
3. Pardon Monsieur, pouvez-vous me dire où est la poste ?
4. Vous avez quelque chose pour écrire ?
5. Est-ce que vous pouvez me passer le sel ?
6. Vous voulez une cigarette ?
7. Est-ce que je peux vous aider ?
8. Attendez une minute, s'il vous plaît, je regarde le menu.

EXERCICE 40. Niveau Unité 7.
APPRÉCIER UN OBJET OU UNE SITUATION

Complétez les phrases suivantes en utilisant *mieux, meilleur* ou *plus.*
(*bien* se transforme en *mieux, bon* se transforme en *meilleur*).

Exemple : Les PTT ne paient pas bien. I.B.M...
• Les PTT ne paient pas bien. I.B.M. paie mieux.

1. Notre-Dame est belle, le jour ; à mon avis, elle est... la nuit.
2. Quatre semaines de congé, ce n'est pas long ; cinq semaines...
3. Le veau, c'est bon avec du beurre ; c'est... avec de la crème.
4. Comme juriste, on gagne bien sa vie ; comme médecin...
5. Le droit, c'est difficile ; les maths... difficile.
6. La Peugeot 104 est courte. L'Austin...
7. Ne prenez pas de ce pain-là, il n'est pas frais ; prenez de celui-là, il est...
8. N'achetez pas cet appareil, il n'est pas maniable ; choisissez celui-là, il est...
9. Il ne fait pas chaud dans la maison ; allons au soleil,...
10. Voyager en train en première, c'est bien ; voyager en avion...

EXERCICE 41. Niveau Unité 7.
DÉCONSEILLER

Mettez ces phrases à la forme négative en utilisant *pas tant* à la place de *trop.*

Exemple : Vous écrivez trop.
• N'écrivez pas tant.

1. Vous travaillez trop.
2. Vous parlez trop ; on ne s'entend plus dans cette classe.
3. Vous sortez trop le soir ; vous dormez dans les réunions.
4. Vous fumez trop ; vous allez être malade.
5. Tu manges trop ; tu es très gros.

EXERCICE 42. Niveau Unité 7.
COMPARER DES OBJETS ET DES ACTIVITÉS

Transformez les énoncés en utilisant *plus de.*

Exemple : Elle n'aime que le droit. Elle ne fait presque pas de comptabilité.
• Elle fait plus de droit que de comptabilité.

1. Être professeur, c'est un métier qui entraîne beaucoup de tension nerveuse et un peu de fatigue, n'est-ce pas ?
2. Dans ce tissu, il y a 70 % de synthétique et 30 % de coton, on dirait ?
3. J'aime le sport. Je fais surtout du tennis et aussi un peu de Judo.
4 En première année, il fait beaucoup de physique et pas beaucoup de chimie.
5. C'est un grand sportif. Il fait beaucoup de bateau et de la gymnastique en plus.
6. En France, on n'a pas de pétrole, mais on a des idées.

EXERCICE 43. Niveau Unité 7.
CONSEILLER ET DÉCONSEILLER

Transformez l'infinitif en impératif.

Exemple : Dites à une amie de ne pas pleurer.
• Ne pleurez pas.

1. Dites à quelqu'un de ne pas attendre.
2. Recommandez à quelqu'un de ne pas perdre votre clé.
3. Dites à quelqu'un de ne pas déjeuner à la cantine parce que c'est mauvais.
4. Dites à vos amis de ne pas être en retard ; vous voulez voir le début du film.
5. Dites à vos amis de ne pas partir ; vous êtes si contente de les voir.
6. Dites à quelqu'un de ne pas changer de voiture ; elles ont beaucoup augmenté.

EXERCICE 44. Niveau Unité 7.
RÉPONDRE PAR LA NÉGATIVE

Répondez en utilisant *rien, jamais, personne.*

Exemple : Vous avez trouvé ce que vous cherchiez ?
• Je n'ai rien trouvé.
Il y avait quelqu'un à la maison ?
• Non, il n'y avait personne.

1. Est-ce qu'il y avait quelque chose dans la voiture ?
2. Vous allez souvent dans les boîtes ?
3. Le soir, est-ce que vous sortez ?
4. Qu'est-ce que tu as acheté pour la fête de Catherine ?
5. Tu as entendu le bruit, cette nuit ?
6. Tu as vu les étudiantes portugaises ?

EXERCICE 45. Niveau Unité 7.
EXPRIMER LA RESTRICTION

Transformez les phrases suivantes en remplaçant *seulement* par *ne... que.* (Construction plus fréquente).

Exemple : J'ai seulement un enfant.
• Je n'ai qu'un enfant. (Je n'en ai qu'un).

1. J'ai seulement cinq minutes.
2. Il y a seulement un train le matin.
3. Je n'ai pas d'argent sur moi, j'ai seulement mon carnet de chèques.
4. Je n'ai rien à vous offrir. J'ai seulement du coca-cola.
5. J'ai seulement un modèle dans ce que vous me demandez.
6. Je ne répare pas les sacs ; je répare seulement les chaussures.
7. Je n'ai pas de poisson ; j'ai seulement des steaks-frites.
8. Je n'ai pas d'eau de Cologne ; j'ai seulement des parfums.
9. Je n'ai pas de carte d'identité ; j'ai seulement mon permis (de conduire).
10. « Y a pas de fric, y a seulement des bijoux ».

QUELQUES VERBES AU FUTUR

ÊTRE	*AVOIR*	*FAIRE*	*ALLER*
Je ser*ai*	J'aur*ai*	Je fer*ai*	J'ir*ai*
Tu ser*as*	Tu aur*as*	Tu fer*as*	Tu ir*as*
Il (elle) ser*a*	Il (elle) aur*a*	Il (elle) fer*a*	Il (elle) ir*a*
Nous ser*ons*	Nous aur*ons*	Nous fer*ons*	Nous ir*ons*
Vous ser*ez*	Vous aur*ez*	Vous fer*ez*	Vous ir*ez*
Ils (elles) ser*ont*	Ils (elles) aur*ont*	Ils (elles) fer*ont*	Ils (elles) ir*ont*

CORRIGÉS DES EXERCICES FONCTIONNELS

EXERCICE 1

1. Je ne parle pas à mon voisin.
2. Elle ne fume pas.
3. Il ne travaille pas dans les bureaux.
4. Je ne parle pas français.
5. Je n'habite pas à New York.
6. Je ne suis pas Grec.
7. Elle n'est pas mannequin.
8. Il n'est pas « prof » d'histoire.
9. La petite Sabine ne pleure pas beaucoup.
10. Christian n'est pas très bavard.

EXERCICE 2

1. Vous êtes Grec ?
2. Vous habitez Paris ?
3. Vous fumez ?
4. Vous parlez français ?
5. Vous buvez ?
6. Vous visitez Paris ?
7. Vous travaillez à Paris ?
8. Vous êtes employé ?

EXERCICE 3

1. Tu connais mon voisin ?
2. Tu es Norvégien ?
3. Tu veux une cigarette ?
4. Pourquoi pleures-tu ?
5. Tu habites où ?
6. Tu as de beaux yeux, tu sais ?
7. Tu es « prof » ?
8. Tu parles anglais ?

EXERCICE 4

1. Vous déjeunez à quelle heure ?
   A quelle heure déjeunez-vous ?
   Tu déjeunes à quelle heure ?
   A quelle heure déjeunes-tu ?
2. Vous finissez à quelle heure ?
   A quelle heure finissez-vous ?
   Tu finis à quelle heure ?
   A quelle heure finis-tu ?
3. Vous rentrez à quelle heure ?
   A quelle heure rentrez-vous ?
   Tu rentres à quelle heure ?
   A quelle heure rentres-tu ?
4. Vous sortez à quelle heure, le soir ?
   A quelle heure sortez-vous, le soir ?
   Tu sors à quelle heure, le soir ?
   A quelle heure sors-tu, le soir ?
5. Vous allez au bistro à quelle heure ?
   A quelle heure allez-vous au bistro ?
   Tu vas au bistro à quelle heure ?
   A quelle heure vas-tu au bistro ?
6. Le matin, vous arrivez à quelle heure au bureau ?
   Le matin, à quelle heure arrivez-vous au bureau ?
   Le matin, tu arrives à quelle heure au bureau ?
   Le matin, à quelle heure arrives-tu au bureau ?

EXERCICE 5

1. Tu travailles où ? Où est-ce que tu travailles ? Où travaillez-vous ? Où travailles-tu ?
2. Tu déjeunes où ? Où est-ce que tu déjeunes ? Où déjeunez-vous ? Où déjeunes-tu ?
3. Tu vas en vacances où, d'habitude ? Où est-ce que vous allez en vacances, d'habitude ? Vous allez en vacances où, d'habitude ?
4. Le soir, où dînes-tu ? Tu dînes où, le soir ? Le soir, où dînez-vous ? Où est-ce que vous dînez, le soir ?

EXERCICE 6

1. Tu vas déjeuner où ? Où est-ce que tu vas déjeuner ? Où vas-tu déjeuner ? etc.
2. Vous allez prendre un café où ? Où est-ce que vous allez prendre un café ? Où allez-vous prendre un café ? (Les réponses 1 sont aussi possibles).
3. Tu vas téléphoner où ? Où est-ce que vous allez téléphoner ? Vous allez téléphoner où ? (Les réponses 1 sont aussi correctes).
4. Tu vas où faire du ski ? Où vas-tu faire du ski ? Où est-ce que tu vas faire du ski ? Tu vas faire du ski où ? Où allez-vous faire du ski ?

EXERCICE 7

1. Je peux attendre ici ? (Est-ce que je peux...)
2. Je peux fermer la fenêtre ?
3. Je peux vous poser une question ?
4. Je peux ouvrir la fenêtre ?
5. Je peux téléphoner chez vous, ce soir ?
6. Je peux venir avec vous ?
7. Je peux laisser mes affaires dans la classe ?

EXERCICE 8

1. Vous pouvez écrire au tableau (s'il vous plaît) ?
2. Vous pouvez répéter la phrase au magnétophone (s'il vous plaît) ?
3. Vous pouvez expliquer ce texte (s'il vous plaît) ?
4. Vous pouvez arrêter la classe quelques minutes (s'il vous plaît) ?
5. Vous pouvez attendre une minute (s'il vous plaît) ?
6. Vous pouvez répondre à ma question (s'il vous plaît) ?

EXERCICE 9

1. Vous allez (tu vas) au bureau à quelle heure ?
2. Vous finissez (tu finis) à quelle heure ?
3. Vous déjeunez (tu déjeunes) à quelle heure ?
4. Vous allez (tu vas) au cinéma à quelle heure ?
5. Vous sortez (tu sors) à quelle heure ?
6. Vous rentrez (tu rentres) à quelle heure ?
7. Vous voulez (tu veux) partir à quelle heure ?
8. Vous vous mariez (tu te maries) à quelle heure ?

EXERCICE 10

1. Non, tu ne la connais pas.
2. Non, je ne le prends pas.
3. Non, je ne le bois pas.
4. Non, je ne l'ai pas.
5. Non, je ne l'ai pas.
6. Non, je ne les veux pas.

EXERCICE 11

(Les deux constructions sont possibles).

1. Il y a un téléphone ? Est-ce qu'il y a un téléphone ?
2. (Est-ce qu') il y a un avion le lundi matin ?
3. (Est-ce qu') il y a un métro près de la rue Mouffetard ?
4. (Est-ce qu') il y a une poste à côté d'ici ?
5. (Est-ce qu') il y a des frites ?
6. (Est-ce qu') il y a quelque chose à payer ?
7. (Est-ce qu') il y a un arrêt d'autobus ?
8. (Est-ce qu') il y a un menu touristique ?

EXERCICE 12

1. Il demande si on peut prendre des photos.
2. Il demande si Philippe est là.
3. Il demande si vous êtes libres mardi, tous les trois.
4. Il demande si vous l'attendez pour déjeuner.
5. Il demande si je suis occupé.
6. Il demande si j'ai deviné.
7. Il demande si nous avons (on a) une table libre pour quatre personnes.
8. Il demande si nous ouvrons (on ouvre) le dimanche.
9. Il demande s'il y a une station de métro près de la maison.

EXERCICE 13

1. Non, il n'y a pas de téléphone.
2. Non, il n'y a pas d'avion le lundi matin.
3. Non, il n'y a pas de métro près de la Sorbonne.
4. Non, il n'y a pas de poste à côté d'ici.
5. Non, il n'y a pas de frites.
6. Non, il n'y a pas de supplément (à payer).

EXERCICE 14

1. Qu'est-ce que tu as fait des passeports ?
2. Qu'est-ce que tu as fait des clés ?
3. Qu'est-ce que tu as fait de la pince ?
4. Qu'est-ce que tu as fait de ton ticket ?
5. Qu'est-ce que tu as fait de la valise ?
6. Qu'est-ce que tu as fait de la copine de Christine ?
7. Qu'est-ce que tu as fait du chien ?
8. Qu'est-ce que tu as fait de mon livre ?

EXERCICE 15

1. Je ne sais pas quoi prendre.
2. Je ne sais pas quoi visiter.
3. Je ne sais pas quoi répondre.
4. Je ne sais pas quoi manger.
5. Je ne sais pas quoi lui écrire.
6. Je ne sais pas quoi boire.

EXERCICE 16

(Plusieurs réponses sont possibles).

1. Qu'est-ce que vous fumez ? Que fumez-vous ?
2. Qu'est-ce que vous faites ? Que faites-vous ?
3. Qui attendez-vous ? Que faites-vous ? Qu'est-ce que vous faites ?
4. Que répondez-vous ? Qu'est-ce que vous répondez ? Que faites-vous ?
5. Qu'est-ce que vous mangez ? Que mangez-vous ?
6. Qui regardez-vous ?
7. Qui regrettez-vous ?
8. Qui me conseillez-vous ?

EXERCICE 17

1. Lui aussi, il va en France pour travailler.
2. Moi aussi, je travaille à la poste.
3. Vous aussi, vous avez de beaux yeux.
4. Françoise aussi se marie.
5. Son amie aussi a des lunettes.
6. Moi aussi, je voudrais lui parler.
7. Moi aussi, je m'appelle Sylvie.
8. Ma mère aussi habite rue Lhomond.
9. Nous aussi, nous déjeunons (on déjeune) à la cantine.
10. Moi aussi, je voudrais un café.

Remarque : on peut dire aussi :
1. Il va en France, lui aussi.
2. Françoise se marie, elle aussi.
5. Son amie a des lunettes, elle aussi.
8. Ma mère habite rue Lhomond, elle aussi.

EXERCICE 18

1. Elle n'a pas le temps, elle non plus.
2. Je ne sais pas son numéro de téléphone, moi non plus.
3. Elle ne fume pas, elle non plus.
4. Il ne fait rien, lui non plus.
5. La porte de la cuisine ne ferme pas non plus.
6. Vous n'êtes pas arrivé à l'heure, vous non plus.
7. Les autres étudiants n'ont pas voulu répondre, eux non plus.
8. On n'a pas pu monter dans le métro, nous non plus. ou : (nous n'avons pas pu monter dans le métro, nous non plus).

Remarque : on peut dire aussi : Nous non plus, « on n'a pas pu monter dans le métro ».

EXERCICE 19

1. Je ne sais pas avec qui elle se marie.
2. Je ne sais pas où elle est.
3. Je ne sais pas où elle habite.
4. Je ne sais pas où il travaille.
5. Je ne sais pas à quelle heure elle finit.
6. Je ne sais pas comment il rentre chez lui.
7. Je ne sais pas combien il gagne.
8. Je ne sais pas combien c'est en seconde, pour Bordeaux.
9. Je ne sais pas quand il est venu.
10. Je ne sais pas quand il est sorti.

EXERCICE 20

1. (de) 2. (du) 3. (de) 4. (du) 5. (du)
6. (de la) 7. (de la) 8. (du)
9. (de l') 10. (du) 11. (de la) 12. (du)
13. (de la) 14. (de la) 15. (de la)
16. (de l') 17. (du) 18. (de l')
19. (de l') 20. (du) 21. (des) 22. (de)
23. (de la) 24. (des).

EXERCICE 21

(Plusieurs types de réponses sont possibles).

1. Vous auriez la monnaie de dix francs, s'il vous plaît ?
   Pourriez-vous me donner la monnaie de dix francs ?
2. Vous avez un stylo, s'il vous plaît ?
   Pourriez-vous me prêter un stylo, s'il vous plaît ?
3. Une glace vanille-chocolat, s'il vous plaît.
   Je voudrais une glace vanille-chocolat, s'il vous plaît.
4. Je voudrais un aller en seconde pour Versailles, s'il vous plaît.
   Un aller en seconde pour Versailles, s'il vous plaît.
5. Pourriez-vous me donner la carte des vins, s'il vous plaît ?
   Je voudrais la carte des vins, s'il vous plaît.
6. Vous avez le menu ?
   Vous pourriez me donner le menu, s'il vous plaît ?
7. Je voudrais des pastilles pour la toux.
   Vous avez des pastilles pour la toux ? etc.

EXERCICE 22

Les deux constructions sont possibles.

1. (Est-ce que) vous connaissez les horaires de train pour Lyon ?
2. (Est-ce que) vous savez où se trouve la rue Montmartre ?
3. (Est-ce que) vous connaissez une boîte « sympa » au quartier Latin ?
4. (Est-ce que) tu sais où on peut trouver des appareils de photos ?
5. (Est-ce que) vous voulez boire quelque chose ?
6. (Est-ce que) vous savez vous servir (tu sais te servir) d'une machine à calculer ?
7. (Est-ce que) tu veux aller au cinéma ?
8. (Est-ce que) tu sais conduire ?

EXERCICE 23

1. Ne viens pas le matin, je ne suis pas là.
2. Ne va pas dans ce bistro, il n'est pas « sympa ».
3. Ne sors pas, j'ai quelque chose à te dire.
4. Ne prends pas l'autobus, prends le métro.
5. Ne regrette pas Paris, ta banlieue est très jolie.
6. Ne pleure pas, on va appeler ta maman.

EXERCICE 24

1. Ne mangez pas cet œuf, il n'est pas frais.
2. Ne choisissez pas trop vite, il y a d'autres magasins.
3. Ne perdez pas votre numéro, il me le faut.
4. Ne regardez pas cet horaire, il est périmé.
5. Ne coupez pas, je voudrais parler à Monique Couteaux.
6. Ne laissez pas votre appareil de photos ici, on va vous le voler.

EXERCICE 25

1. Il n'y a pas de train le matin ?
2. Vous n'avez pas vingt francs ?
3. Vous ne les avez pas en 43 ?
4. Il n'y a pas autre chose ?
5. Vous n'avez pas quelque chose de moins cher ?
6. Vous n'avez pas d'antibiotiques ?
7. Vous ne déjeunez pas ?
8. Vous ne sortez pas ?
9. Vous ne travaillez pas aujourd'hui ?
10. Vous ne prenez pas le métro ?

EXERCICE 26

1. Si, voilà.
2. Si, il y en a.
3. Si, je les ai.
4. Si, il y a autre chose.
5. Si, je l'ai, le voilà.
6. Si, j'ai quelque chose de moins cher.
7. Si, j'en ai.
8. Si, je déjeune.
9. Si, je sors.
10. Si, je le prends.

EXERCICE 27

1. Qu'est-ce que vous connaissez comme jolies boutiques à Paris ?
2. Qu'est-ce que vous avez acheté comme cadeau ?
3. Qu'est-ce que vous avez choisi comme dessert ?
4. Qu'est-ce qu'il y a comme glaces ?
5. Qu'est-ce qu'il y a comme autobus dans le quartier ?
6. Qu'est-ce qu'il y a comme train pour Marseille ?

EXERCICE 28

1. Vous n'avez pas vu mes clés de voiture ?
2. Vous n'avez pas vu un enfant de quatre ans, aux cheveux longs, habillé en bleu ?
3. Vous n'avez pas vu une valise beige avec les initiales P.R. ?
4. Tu n'as pas vu mon stylo ? C'est un stylo en or.
5. Tu n'as pas vu un monsieur grand, brun avec une moustache.

EXERCICE 29

(Plusieurs réponses sont possibles)

1. Oui, j'en veux bien (une tranche). Non, merci, je n'en veux pas.
2. J'en voudrais deux cents grammes.
3. Non, merci, je n'en bois jamais. Oui, avec plaisir, j'en prendrai bien un verre.
4. J'en voudrais vingt litres, s'il vous plaît. J'en voudrais pour cent francs.
5. Oh oui, donne-m'en deux. Oui, oui, j'en voudrais un.
6. Oui, donnez-m'en un peu. J'en veux bien un peu.

EXERCICE 30

(Plusieurs réponses sont possibles)

1. J'en fais depuis trois ans. Je n'en fais plus.
2. Oui, j'en ai fait beaucoup. Non, je n'en fais pas.
3. Oui, (j'en fais) très souvent. Non, (je n'en fais) presque jamais.
4. Oui, ils en font deux heures par semaine. Non, ils n'en font pas.
5. Oui, j'en fais. Non, (je n'en fais pas), je fais du basket.
6. Oui, j'en fais à Noël. Non, je n'en fais pas cette année.

EXERCICE 31

(Plusieurs réponses sont possibles)

1. Oui, on en trouve. Non, on n'en trouve pas.
2. Mais si, il en reste un peu. Non, il n'en reste plus (du tout).
3. Oui, il y en a, mais très peu. Non, il n'y en a presque pas.
4. Oui, j'en ai l'hiver. Non, je n'en ai pas l'hiver.
5. Oui, elle en a beaucoup. Non, elle n'en a pas.

EXERCICE 32

(Plusieurs réponses sont possibles)

1. Oui, il y en a un superbe. Non, il n'y en a pas.
2. Oui, nous en avons acheté un. Non, nous n'en avons pas acheté.
3. Il y en a deux millions (en 1982).
4. Oui, ils en ont encore un. Non, ils n'en ont plus.
5. Oui, elle en a beaucoup. (Elle en a plein). Non, elle n'en a pas du tout.

EXERCICE 33

1. Oui, j'en ai déjà fait. Non, je n'en ai jamais fait.
2. Oui, j'en ai déjà mangé. Non, je n'en ai jamais mangé.
3. Oui, j'en ai déjà fait. Non, je n'en ai jamais fait.
4. Oui, j'en ai déjà fait. Non, je n'en ai jamais fait.
5. Oui, j'en ai déjà eu un. Non, je n'en ai jamais eu.
6. Oui, j'en ai déjà eu une. Non, je n'en ai jamais eu.

EXERCICE 34

1. On lui demande ce qu'elle fait comme métier.
2. On lui demande ce qu'il parle comme langues.
3. On lui demande ce qu'elle fume comme cigarettes.
4. On lui demande ce qu'il a comme heures de travail.
5. On lui demande ce qu'elle prend comme entrée.
6. On lui demande ce qu'il connait comme bon restaurants.
7. On lui demande ce qu'elle a comme pièce d'identité.
8. On lui demande ce qu'il y a comme autobus pour le Louvre.

EXERCICE 35

1. Elle te plaît, ma voiture ?
2. Il vous plaît, le dernier film de Verneuil ?
3. Ils vous plaisent, les nouveaux voisins ?
4. Elle vous plaît, la nouvelle Citroën ?
5. Elles te plaisent, mes nouvelles chaussures ?
6. Ils te plaisent, les patins à roulettes que je t'ai offerts ?

EXERCICE 36

1. Ce sont (les amis) les plus sympas pour faire un voyage.
2. C'est (le manteau) le plus grand dans ce modèle.
3. C'est (le film) le plus « marrant » à voir, cette semaine.
4. C'est (la machine) la plus économique.
5. C'est la plus claire dans cette qualité.
6. C'est (l'actrice) la plus belle et la plus élégante (du monde).

EXERCICE 37

1. Il est « ennuyeux comme la pluie ».
2. Elle est « fraîche comme une fleur ».
3. Il est « beau comme un dieu ».
4. Elle est « blonde comme les blés ».
5. Ils sont « pauvres comme Job ».
6. Tu es « belle comme le jour ».
7. Cette valise est « lourde comme un âne mort ».

EXERCICE 38

1. Patrice est aussi grand que son frère.
2. Ce chat est aussi noir que le mien.
3. Elle est aussi blonde qu'une Suédoise.
4. Son deuxième film est aussi épatant que le premier.
5. Cet exercice est aussi simple que le précédent.
6. Ton petit bistro est aussi bien que le mien.

EXERCICE 39

1. Il cherche ses lunettes.
2. Il présente Pierre à Catherine.
3. Il demande où est la poste.
4. Il demande quelque chose pour écrire.
5. Il demande le sel.
6. Il offre une cigarette.
7. Il propose à une personne de l'aider.
8. Il réfléchit. (Il demande d'attendre un moment, il regarde le menu).

EXERCICE 40

1. Elle est plus belle, la nuit.
2. Cinq semaines, c'est plus long (c'est mieux).
3. C'est meilleur avec de la crème.
4. Comme médecin, on gagne mieux.
5. Les maths, c'est plus difficile.
6. L'Austin est plus courte.
7. Prenez de celui-là, il est plus frais.
8. Choisissez celui-là, il est plus maniable.
9. Allons au soleil, il fait plus chaud.
10. Voyager en avion, c'est mieux.

EXERCICE 41

1. Ne travaillez pas tant.
2. Ne parlez pas tant, on ne s'entend plus dans cette classe.
3. Ne sortez pas tant, vous dormez dans les réunions.
4. Ne fumez pas tant, vous allez être malade.
5. Ne mange pas tant, tu es très gros.

EXERCICE 42

1. C'est un métier qui entraîne plus de tension nerveuse que de fatigue.
2. Dans ce tissu, il y a plus de synthétique que de coton.
3. Je fais plus de tennis que de judo.
4. Il fait plus de physique que de chimie.
5. Il fait plus de bateau que de gymnastique.
6. On a plus d'idées que de pétrole.

* *Remarque* :
Pour cet exercice en inversant les termes on peut dire : Exemple 1 : C'est un métier qui entraîne moins de fatigue que de tension nerveuse. Le locuteur choisira ce qu'il veut mettre en valeur.

EXERCICE 43

1. N'attendez pas.
2. Ne perdez pas ma clé.
3. Ne déjeunez pas à la cantine, c'est mauvais.
4. Ne soyez pas en retard, je veux voir le début du film.
5. Ne partez pas, je suis si content de vous voir.
6. Ne changez pas de voiture, elles ont beaucoup augmenté.

EXERCICE 44

1. Il n'y avait rien.
2. Je ne vais jamais dans les boîtes (Non, je n'y vais jamais).
3. Je ne sors jamais.
4. Je n'ai rien acheté.
5. Je n'ai rien entendu.
6. Je n'ai vu personne.

EXERCICE 45

1. Je n'ai que cinq minutes.
2. Il n'y a qu'un train le matin. (Il n'y en a qu'un.)
3. Je n'ai que mon carnet de chèques.
4. Je n'ai que du coca-cola.
5. Je n'ai qu'un modèle dans ce que vous me demandez. (Je n'en ai qu'un).
6. Je ne répare que les chaussures.
7. Je n'ai que des steaks-frites.
8. Je n'ai que des parfums.
9. Je n'ai que mon permis de conduire.
10. « Y a que des bijoux ».

EXERCICES SYNTAXIQUES

A. Pronoms sujets de la troisième personne : *il, elle.*
B. Pronoms sujets de la troisième personne : *il, elle.*
C. La négation.
D. Adjectifs interrogatifs : *quel, quels, quelle, quelles.*
E. Les prépositions indiquant la localisation : *dans, à, au, chez, en.*
F. Les prépositions indiquant la localisation : *dans, à, au, chez, en.*
G. Adjectifs interrogatifs suivis du verbe être : *quel, quels, quelle, quelles.*
H. Le pronom : *on, nous, on, quelqu'un.*

EXERCICE A. Niveau Unité 1.
LES PRONOMS SUJETS DE LA TROISIÈME PERSONNE

Répondez aux questions en utilisant *il* ou *elle*.

1. La petite Sabine habite 5 rue Lhomond ?
2. Le Norvégien s'appelle Philippe ?
3. Jacques Durand, qu'est-ce qu'il fait ?
4. La jeune fille du train, qu'est-ce qu'elle fait ?
5. Il est comment, le chien perdu ?
6. Elle est comment, la blonde du train

EXERCICE B. Niveau Unité 2.
LES PRONOMS SUJETS DE LA TROISIÈME PERSONNE

Répondez aux questions en utilisant *il* ou *elle*.

1. La jeune fille du train est photographe ?
2. Le programmeur est Norvégien ?
3. L'étudiant en médecine a des lunettes ?
4. La petite Sabine Dupuis pleure ?
5. Le grutier déjeune dans une cantine ?
6. La photographe de mode est snob ?

EXERCICE C. Niveau Unité 2.
LA NÉGATION

Répondez négativement.

1. La jeune fille du train fume ?
2. Le programmeur répond combien il gagne ?
3. La photographe de mode a des heures précises ?
4. Le petit garçon sort, le soir ?
5. Les « loubards » déjeunent, à midi ?
6. La petite Sabine sait où est sa mère ?

EXERCICE D. Niveau Unité 3.
ADJECTIFS INTERROGATIFS : QUEL, QUELS (MASCULIN) QUELLE, QUELLES (FÉMININ)

Posez les questions.

1. Demandez à une personne quelle pointure elle fait.
2. Demandez à une personne quelles cigarettes elle fume.
3. Demandez à une personne quel train elle prend.
4. Demandez à une personne quel parfum elle veut.
5. Demandez à une personne quel menu elle choisit.
6. Demandez à une personne quel bistro elle préfère.
7. Demandez à une personne quels journaux elle lit.

EXERCICE E. Niveau Unité 2 ou 3.
LES PRÉPOSITIONS INDIQUANT LA LOCALISATION (DANS, A, CHEZ, EN)

Répondez aux questions.

1. Jacques Durand, le postier de la première unité, où est-ce qu'il travaille ?
2. Le jeune homme qui a perdu son chien, où est-ce qu'il le cherche ?
3. Les deux garçons qui veulent parler à la jeune fille blonde, où est-ce qu'ils sont quand ils lui parlent ?
4. On demande Philippe Holder. Où est-ce que la jeune fille l'attend ?
5. Où est-ce que la petite Sabine Dupuis attend sa mère ?
6. Où est-ce que le programmeur travaille ?
7. Où est-ce qu'il déjeune ?
8. Le soir, où est-ce qu'il va souvent ?
9. Et la photographe où est-ce qu'elle travaille ?
10. Où déjeune-t-elle ?
11. Où va-t-elle le soir avec ses copains ?
12. Où est-ce que le grutier travaille ?
13. Il déjeune où ?
14. Où est-ce qu'il va le samedi ?
15. Le travailleur immigré travaille où ?
16. Et où est-ce qu'il déjeune ?
17. Toutes ces personnes dînent où ?

EXERCICE F. Niveau Unité 3.
LES PRÉPOSITIONS INDIQUANT LA LOCALISATION (DANS, A, CHEZ, EN)

Répondez aux questions.

1. A votre avis, où est-ce que la photographe de mode s'habille ?
2. Vous ne connaissez pas « la Samaritaine » ? C'est un grand magasin populaire. A votre avis, où est-ce que le grutier s'habille ?
3. Vous connaissez des écrivains français. Où est-ce qu'ils déjeunent souvent ?
4. Les gens riches habitent à Paris ou en banlieue ?
5. Où est-ce qu'une parisienne élégante et « fauchée » s'habille ?
6. Où est-ce qu'on peut acheter des antibiotiques ?
7. Où est-ce qu'on vous donne un numéro ou un ticket en général ?
8. Où est-ce qu'on achète des mocassins ?

EXERCICE G. Niveau Unité 3.
ADJECTIFS INTERROGATIFS SUIVIS DU VERBE *ÊTRE*. (QUEL EST... ?)

Posez les questions.

1. Demandez le prix du billet en première.
2. Demandez sa profession à une personne.
3. Demandez son nom de famille à une personne.
4. Demandez son numéro de téléphone à quelqu'un.
5. Demandez à une jeune fille le nom de son parfum.
6. Demandez à un monsieur la marque de sa voiture.

EXERCICE H. Niveau Unité 6.
LES PRONOMS *ON, NOUS* ET *QUELQU'UN*.

Dites qui est *on*.

Exemple : On m'a volé ma voiture. *On = quelqu'un.*
Elle est jolie, la blonde, on lui parle ?
On = nous.

1. On travaille, laissez-nous.
2. On t'a attendu une demi-heure et on est partis.
3. Ecoute, on appelle, va voir ce que c'est.
4. J'ai demandé le poste 33, on m'a coupé.
5. Tiens, on a regardé dans mon bureau, je n'aime pas ça !
6. On a dîné au restaurant hier soir, c'était très bien !
7. On a réparé l'ascenseur ; ça c'est bien !
8. On n'a jamais d'argent, on paye tout par chèque.
9. On prend le métro ou un taxi ?
10. Regarde, on a changé le nom de la rue.

CORRIGÉS DES EXERCICES SYNTAXIQUES

EXERCICE A

1. Oui, elle habite rue Lhomond.
2. Oui, il s'appelle Philippe.
3. Il est facteur.
4. Elle est « prof ».
5. Il est noir.
6. Elle est « chouette ».

EXERCICE B

1. Non, elle est « prof ».
2. Non, il est Français.
3. Oui, il a des lunettes.
4. Oui, elle pleure.
5. Non, il apporte sa gamelle.
6. Oui, elle est snob.

EXERCICE C

1. Non, elle ne fume pas.
2. Non, il ne répond pas.
3. Non, elle n'a pas d'heures précises.
4. Non, il ne sort pas.
5. Non, ils ne déjeunent pas.
6. Non, elle ne sait pas.

EXERCICE D

1. Quelle pointure faites-vous ?
2. Quelles cigarettes fumez-vous ?
3. Quel train prenez-vous ?
4. Quel parfum voulez-vous ?
5. Quel menu choisissez-vous ?
6. Quel bistro préférez-vous ?
7. Quels journaux lisez-vous ?

EXERCICE E

1. Il travaille à la poste.
2. Il cherche son chien dans la rue.
3. Ils sont dans un train de banlieue.
4. La jeune fille l'attend à la réception.
5. Elle attend sa mère au bureau des renseignements.
6. Il travaille en banlieue, à la Défense.
7. Il déjeune dans un bistro.
8. Il va souvent au cinéma ou au théâtre.
9. Elle travaille chez Courrèges.
10. Elle déjeune chez Lipp, en général.
11. Elle va dans des boîtes avec des copains.
12. Le grutier travaille sur un chantier.
13. Il déjeune sur le chantier. Il apporte sa gamelle.
14. Le samedi, il va quelquefois au cinéma.
15. Il est O.S. chez Renault.
16. Il déjeune à la cantine.
17. Toutes ces personnes dînent à la maison (chez elles).

EXERCICE F

1. A mon avis, elle s'habille chez Courrèges.
2. Le grutier s'habille à la Samaritaine.
3. Ils déjeunent souvent chez Lipp.
4. Les gens riches habitent (à) Paris.
5. Une parisienne élégante, et fauchée, s'habille dans des petites boutiques.
6. On peut acheter des antibiotiques chez les pharmaciens (dans les pharmacies).
7. On vous donne un ticket ou un numéro dans les vestiaires ou chez les cordonniers, les teinturiers, les horlogers etc.
8. On achète des mocassins dans les magasins de chaussures (chez les marchands de chaussures).

EXERCICE G

1. Quel est le prix du billet en première ?
2. Quelle est votre profession ?
3. Quel est votre nom de famille ?
4. Quel est votre numéro de téléphone ?
5. Quel est le nom de votre parfum ?
6. Quelle est la marque de votre voiture ?

EXERCICE H

1. Nous 2. Nous 3. Quelqu'un 4. Quelqu'un
5. Quelqu'un 6. Nous 7. Quelqu'un 8. Nous
9. Nous 10. Quelqu'un.

INDEX DES EXERCICES AUTO-CORRECTIFS FONCTIONNELS ET SYNTAXIQUES[1]

A (préposition localisation) (E, F)
Adjectifs interrogatifs *quel, quels, quelle, quelles* (D, G)
Apprécier des qualités (36)
Apprécier un objet ou une situation (40)
Aussi (17)

Caractériser une situation (39)
Chez (E, F)
Comme (comparatif) (37), (conjonction) (27, 34)
Comparatif (37, 38, 42)
Conseiller et déconseiller (43)

Dans (localisation) (E, F)
Déjà (33)
Déconseiller (41, 43)
Décrire la personne et ses activités (1, 2)
Demander de faire (8, 43,)
Demander de ne pas faire (23, 24)
Demander une permission (7)
Demander un objet (21)
Dire de donner un objet (29)
Du, de la, des (révision) (20)

Elle (A, B)
En (préposition) (E, F)
En (pronom) (29, 30, 31, 32, 33,)
Exprimer l'identité d'un état et d'une action (17, 18)
Exprimer l'ignorance (19)
Exprimer l'incertitude (15)

Fréquence (I)

Il (pronom, sujet) (A, B)
Impératif (43,)
Impératif négatif (23, 24)
Interroger (3, 25, 28)
Interroger sur l'existence d'un objet (11)
Interroger sur l'existence ou la nature d'un objet (27, 31, 32)
Interroger sur l'éventualité d'une action passée (33)
Interroger sur l'heure (4, 9)
Interroger sur la pratique d'un sport (30)
Interroger sur le lieu (5, 6)
Interroger sur le savoir, le vouloir, le savoir-faire (22)
Interroger sur les activités de la personne (16)
Interroger sur les goûts (35)

Jamais (33, 44)

Le, la, les, l' (pronoms) (10)

Meilleur (40)
Mieux (40)
Négation (1, 10, 13, 26, 44, C)
ne... que (45)
non plus (18)

On (pronom) (H)
Où (5, 6)

Personne (44)
Plaire (35)
Plus (40)
Plus (le) (36)
Pouvoir (7, 8)
Prépositions indiquant la localisation (E, F)
Pronoms objet *le, la, les, l'* (10)
Pronoms sujets *il, elle* (A, B)

Que (16)
Quel, quels, quelle, quels (D, G)
Quelqu'un (H)
Qui (16)

Rapporter des paroles (12, 34)
Rechercher un objet ou une personne (14, 28)
Restriction (ne... que) (45)
Rien (44)

Si (oui) (26)
Superlatif (36)

Tant (41)
Tutoyer (3)

Vérifier une information négative (25)

1. Les chiffres entre parenthèses renvoient aux exercices fonctionnels.
Les lettres entre parenthèses renvoient aux exercices syntaxiques.

TABLE DES ILLUSTRATIONS

Pages
13 Atlas-Photo, J.-L. Moore.
16 Cliché SNCF
SNARK International, G. Perret.
17 Cahiers du Cinéma.
18 Cahiers du Cinéma.
19 Photo SERMAP, Ortala.
Documentation française.
20 Cliché SNCF.
Clichés aéroport de Paris.
Postes et Télécommunications, SIRP.
26- 27 Editions A. Barthelemy, 15110 Chaudes-Aigues.
35 Belzeaux, Rapho.
Photo E. Boubat, Réalités.
36 Photo SERMAP, Ortala.
Photos Serraillier, Rapho.
Documentation française.
37 Photos SERMAP, Ortala.
Documentation française.
38 Duroy, Rapho.
Documentation française, photo La République du Centre.
Photo Roger Perrin.
40 SNARK International.
42 Documentation française, photo Crédit Lyonnais.
Niepce, Rapho.
J.-M. Charles, Rapho.
Le Monde.
Le Nouvel Observateur.
L'Expansion, dessin G. Lacroix.
Valeurs Actuelles.
43 Cartier-Bresson, Magnum.
Atlas-Photo, Y. Guillemaut.
Documentation française, photo Compagnie française d'entreprises métalliques, G.M.
Télérama.
Le Point.
44 Atlas-Photo, J. Vargues.
Documentation française, photo Verrey, Ministère de l'Agriculture.
Atlas-Photo, Y. Billon.
Le Figaro.
Paris-Match.
L'Humanité Dimanche.
45 Rapho, G. Martin.
Edimedia, Coll. Universal.
Libération.
Journal de la Maison de la Culture, Châlon-sur-Saône.
55 Dessin Saint-Exupéry, © Gallimard.
56 SNARK International.
Photo SERMAP, Ortala.
Atlas-Photo, M. Chapuis.
57 Atlas-Photo, J.-C. Belet.
Photo SERMAP, Ortala.
58 SNARK International.
Belzeaux, Rapho.
Cahiers du Cinéma.
62 RATP.
65 Franck, Magnum.
74 Cahiers du Cinéma.
79 Documentation française, photo Verney.
Ministère de l'agriculture.
Franck, Magnum.
80 Rapho, Y. Dejardin.
81 Cliché SNCF.
SNCF, CAV.
82 Atlas-Photo, P.-R. Doumic.
Atlas-Photo, R. Valancher.
Atlas-Photo, P. Bertot.
84 Giraudon, Musée Condé.
89 Cahiers du Cinéma.
101 Documentation française, J.-L. Nespoulos.
Documentation française, H. Jaeger.
102 Documentation française, Publimages CFP Total.
Cahier du Cinéma.
Atlas-Photo, Perrin.
104 SNARK International, Coll. J. Chevallier.
106 Photos SERMAP, Ortala.
Atlas-Photo.
Documentation française, P. Calixte, S.E.M.A.H.
Cuny, Rapho.
109 Vichy Saint-Yorre.
SOPEXA - C.N.I.E.L.
117 Delta-Productions.
118 Code de la route © Foucher.
120 Documentation française. Centre G. Pompidou Audiovisuel.
122 Giraudon, Musée d'Art Moderne.
Photo Hélène Adant.
127 Giraudon.
SNARK International, Coll. J. Chevallier.
129 Rapho, De Sazo.
Rapho, Dejardin.
130 Cahiers du Cinéma.
131 Loto, R. Ansermet.
132 Atlas-Photo.
133 Documentation photographique des musées nationaux, Louvre.
140 Magnum, G. Le Querrec.
Magnum, B. Barbey.
Rapho, Goursat.
Documentation française, photo Vesso.
140 Photo SERMAP, Ortala.
Giraudon, Louvre.
Magnum, E. Erwitt.
Magnum, D. Seymour.
Atlas-Photo.
Rapho, Goursat.
143 SNARK International.
Gamma, Peusner.
SNARK International, Coll. Perez.
SNARK International, A. Varda.
Gamma, D. Simon.
144 Photo J.-F. Bastien.
Documentation française, Photo Verney, Ministère de l'Agriculture.
146-147 Edimedia, Coll. Universal.
Cahiers du Cinéma.
Documentation française, Photo Verney, Ministère de l'Agriculture.
156 Lauros, Giraudon, Louvre.
157 Air France.

Imprimerie TARDY QUERCY S.A. - Bourges
Dépôt légal : janvier 1992 - N° 16977